Geografía

Quinto grado

Geografía. Quinto grado fue desarrollado por la Dirección General de Materiales Educativos (DGME), de la Subsecretaría de Educación Básica, Secretaría de Educación Pública.

Secretaría de Educación Pública
Alonso Lujambio Irazábal

Subsecretaría de Educación Básica
José Fernando González Sánchez

Dirección General de Materiales Educativos
María Edith Bernáldez Reyes

Coordinación técnico-pedagógica
María Cristina Martínez Mercado, Ana Lilia Romero Vázquez,
Alexis González Dulzaides

Autores
María Alejandra Acosta García, Sheridan González Martínez,
María de Lourdes Romero Ocampo, Luis Reza Reyes, Araceli Salinas Montes

Revisión técnico-pedagógica
Ana Flores Montañez, Edith Vázquez Zacarías,
Tania Vanesa Eunice Sánchez Vázquez

Asesores
Lourdes Amaro Moreno, Leticia María de los Ángeles González
Arredondo, Óscar Palacios Ceballos

Coordinación editorial
Dirección Editorial, DGME/SEP
Alejandro Portilla de Buen

Cuidado editorial
Eréndira Daniela Verdugo Montero

Producción editorial
Martín Aguilar Gallegos

Diseño y formación
Magali Gallegos Vázquez

Investigación iconográfica
Diana Mayén Pérez
Armando Alvarado

Portada
Diseño de colección: Carlos Palleiro
Ilustración de portada: Julián Cicero

Primera edición, 2010
Segunda edición, 2011 (ciclo escolar 2011-2012)

ISBN: 978-607-469-711-7

Impreso en México

Agradecimientos
La Secretaría de Educación Pública agradece a los más de 40 284 maestros y maestras, a las autoridades educativas de todo el país, al Sindicato Nacional de Trabajadores de la Educación, a expertos académicos, a los Coordinadores Estatales de Asesoría y Seguimiento para la Articulación de la Educación Básica, a los Coordinadores Estatales de Asesoría y Seguimiento para la Reforma de la Educación Primaria, a monitores, asesores y docentes de escuelas normales, por colaborar en la revisión de las diferentes versiones de los libros de texto llevada a cabo durante las Jornadas Nacionales y Estatales de Exploración de los Materiales Educativos y las Reuniones Regionales realizadas en 2008 y 2009. Así como a la Dirección General de Desarrollo Curricular, a la Dirección General de Educación Indígena y a la Dirección General de Desarrollo de la Gestión e Innovación Educativa.

La SEP extiende un especial agradecimiento a la Organización de Estados Iberoamericanos para la Educación, la Ciencia y la Cultura (OEI), por su participación en el desarrollo de esta edición.

También se agradece el apoyo de las siguientes instituciones: Universidad Autónoma Metropolitana, Universidad Nacional Autónoma de México, Centro de Educación y Capacitación para el Desarrollo Sustentable de la Secretaría del Medio Ambiente y Recursos Naturales, Secretaría del Trabajo y Previsión Social, Ministerio de Educación de la República de Cuba. Asimismo, la Secretaría de Educación Pública extiende su agradecimiento a todas aquellas personas e instituciones que de manera directa e indirecta contribuyeron a la realización del presente libro de texto.

Geografía. Quinto grado
se imprimió por encargo de la Comisión Nacional de Libros de Texto Gratuitos, en los talleres de Impresora y Editora Xalco, S.A. de C.V., con domicilio en Av. J.M. Martínez y Av. 5 de Mayo, Col. Jacalones, C.P. 56600, Chalco, Estado de México, en el mes de junio de 2011.
El tiraje fue de 2'901,850 ejemplares.

Impreso en papel reciclado

PRESENTACIÓN

La Secretaría de Educación Pública, en el marco de la Reforma Integral de la Educación Básica, plantea un nuevo enfoque de libros de texto que hace énfasis en el trabajo y las actividades de los alumnos para el desarrollo de las competencias básicas para la vida. Este enfoque incorpora como apoyo Tecnologías de la Información y Comunicación (TIC), materiales y equipamientos audiovisuales e informáticos que, junto con las bibliotecas de aula y escolares, enriquecen el conocimiento en las escuelas mexicanas.

Este libro de texto integra estrategias innovadoras para el trabajo en el aula, demandando competencias docentes que aprovechen distintas fuentes de información, uso intensivo de la tecnología, y comprensión de las herramientas y los lenguajes que niños y jóvenes utilizan en la sociedad del conocimiento. Al mismo tiempo se busca que los estudiantes adquieran habilidades para aprender por su cuenta y que los padres de familia valoren y acompañen el cambio hacia la escuela mexicana del futuro.

Su elaboración es el resultado de una serie de acciones de colaboración con múltiples actores, como la Alianza por la Calidad de la Educación, asociaciones de padres de familia, investigadores del campo de la educación, organismos evaluadores, maestros y colaboradores de diversas disciplinas, así como expertos en diseño y edición. Todos ellos han enriquecido el contenido de este libro desde distintas plataformas y a través de su experiencia, la Secretaría de Educación Pública les extiende un sentido agradecimiento por el compromiso demostrado con cada niño residente en el territorio mexicano y con aquellos que se encuentran fuera de él.

Secretaría de Educación Pública

CONOCE TU LIBRO

Este libro te ofrece una amplia gama de conocimientos geográficos y la posibilidad de entender, de manera fácil, el lugar donde vives y el mundo que te rodea. Esto lo lograrás al reconocer los elementos naturales y sociales que conforman tu entorno, y al comprender cómo se distribuyen sobre la superficie terrestre. Asimismo, valorarás la importancia de tu participación para conservar estos espacios geográficos en buenas condiciones.

El libro está integrado por cinco bloques, cada uno dividido en cuatro lecciones. Cada lección inicia con una postal, cuya función es introducirte al tema que estudiarás.

Comencemos. En esta sección identificarás qué tanto sabes sobre el contenido de la lección y el aprendizaje que adquirirás.

Orientan respecto al aprendizaje que se desarrolla en cada lección.

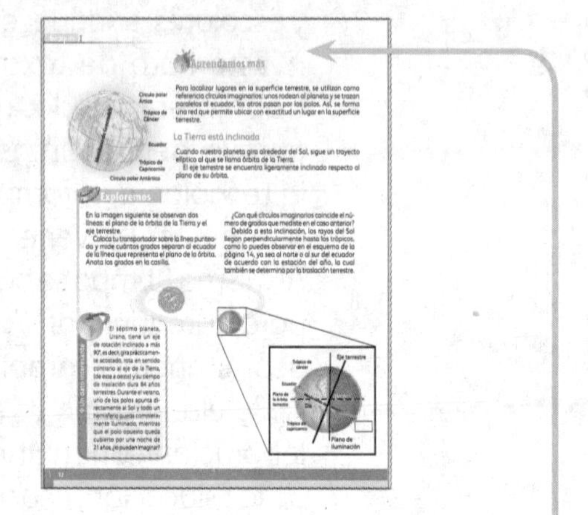

Aprendamos más. Aquí desarrollarás los temas de la lección con el propósito de que construyas nuevos conocimientos, enriquezcas los que has obtenido y desarrolles nuevas habilidades y actitudes.

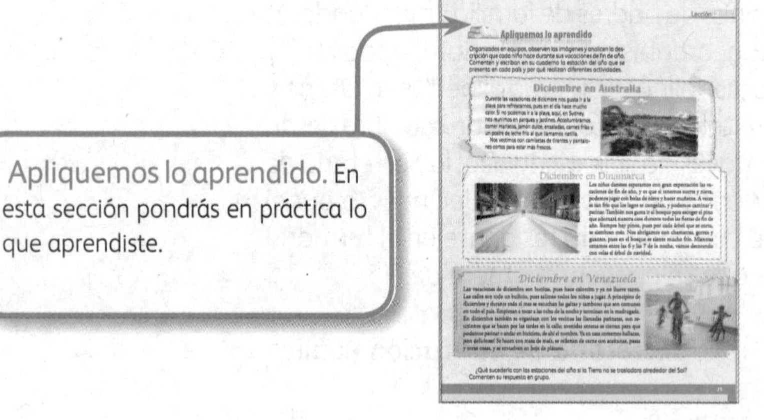

Apliquemos lo aprendido. En esta sección pondrás en práctica lo que aprendiste.

Al final de cada bloque evaluarás tu aprendizaje mediante tres secciones:

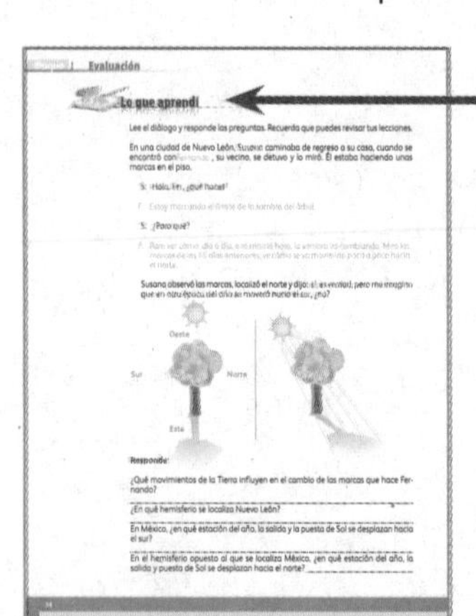

Lo que aprendí. Es una actividad que integra los contenidos de las lecciones de un bloque.

Mis logros y Autoevaluación. Son dos ejercicios para valorar tu aprendizaje y reflexionar sobre su utilidad en la vida cotidiana, así como para evaluar qué aspectos necesitas mejorar.

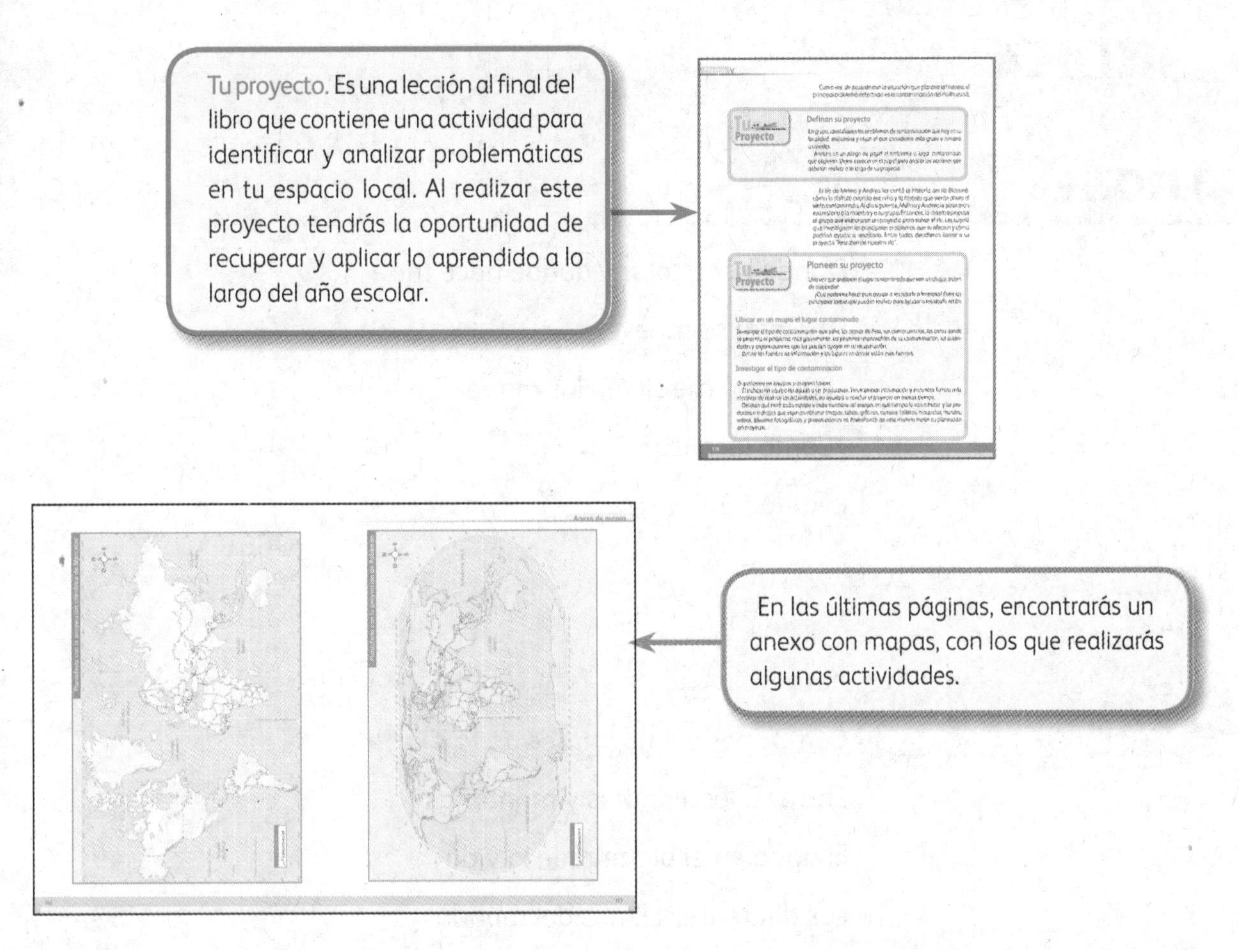

Además encontrarás varias secciones que complementan tu estudio de la geografía como:

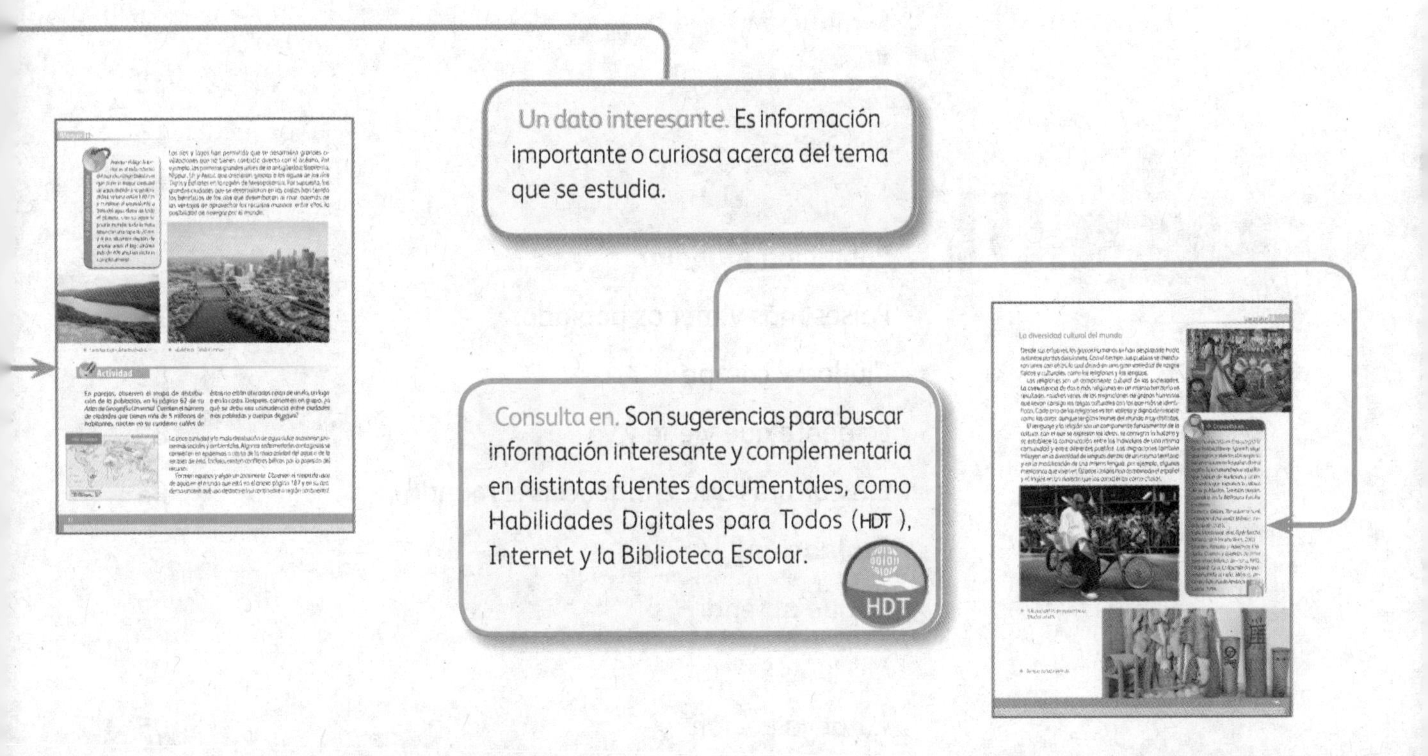

ÍNDICE

BLOQUE IV

BLOQUE V

BLOQUE I

La Tierra

Imagen satelital de la Tierra.

Quito, Ecuador

N

S

Querido Hugo:

Te escribo desde la mitad del mundo, en Quito, Ecuador. En esta postal está el monumento que marca la latitud 0, el punto desde donde se traza el ecuador, la línea imaginaria que rodea la Tierra como si fuera un cinturón. Con un solo paso estás en el norte del planeta y con otro, en el sur.

Esta ciudad sería una de las más cálidas del mundo, pero su relieve montañoso, sobre los Andes, la hace templada.

Cuando regrese te platicaré más detalles de mi viaje a Sudamérica.

Un abrazo. Miguel

DONDE HACE CALOR Y DONDE HACE FRÍO

❖ Con el estudio de esta lección, identificarás la inclinación del eje terrestre y las zonas térmicas en su superficie.

Comencemos

Como menciona Miguel en la postal, el ecuador se traza a la mitad del planeta y lo divide en dos partes iguales hacia el norte y sur. ¿Recuerdas qué otras líneas imaginarias atraviesan la Tierra?

Las líneas imaginarias nos sirven para localizar puntos y límites de zonas de diferente tipo. En esta lección las utilizaremos para reconocer la distribución del calor en nuestro planeta.

Comenta con tus compañeros, ¿cuál es la forma de la Tierra? ¿Cuáles son los cuatro puntos cardinales? ¿Desde qué punto cardinal está tomada la fotografía de la postal?

Actividad

Reúnete con un compañero y observen el siguiente esquema de la Tierra. Anoten sobre las líneas laterales el nombre de los puntos y círculos imaginarios que están trazados.

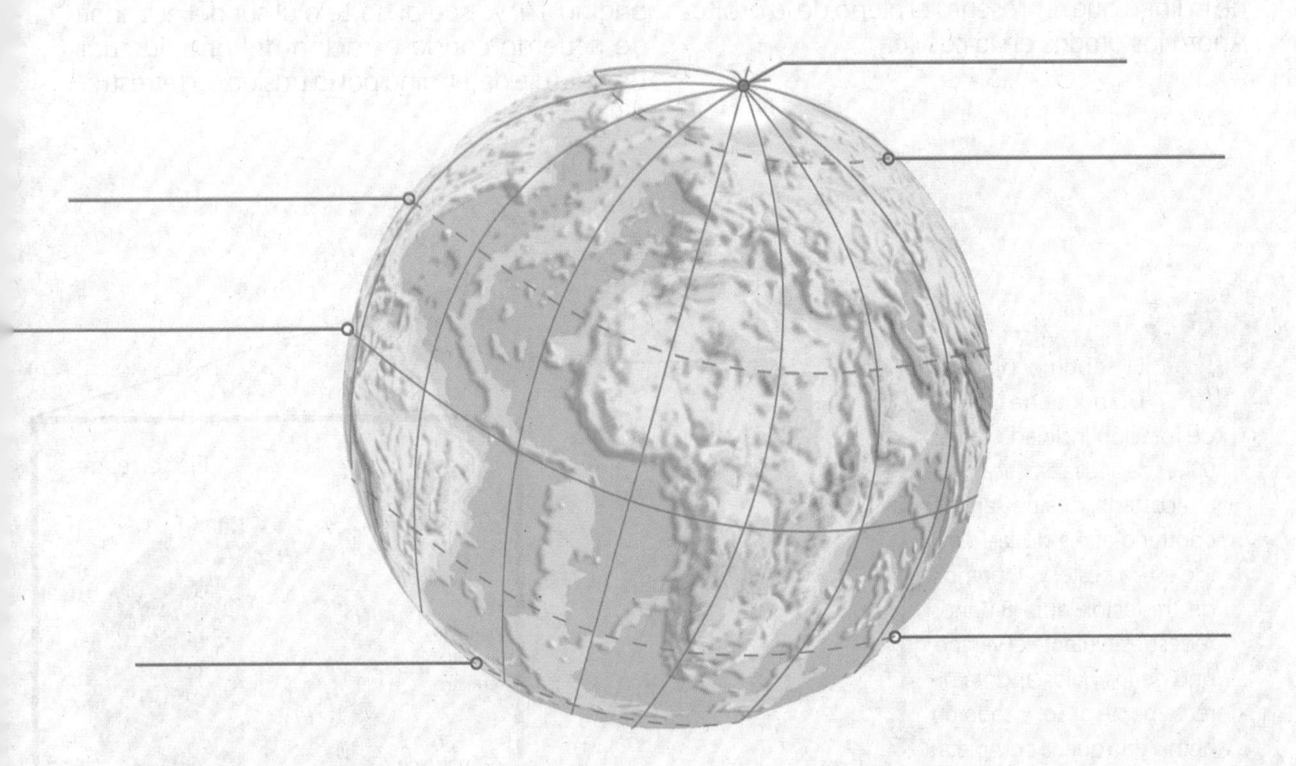

En grupo, comenten: ¿para qué nos sirven estos puntos y círculos imaginarios?

Aprendamos más

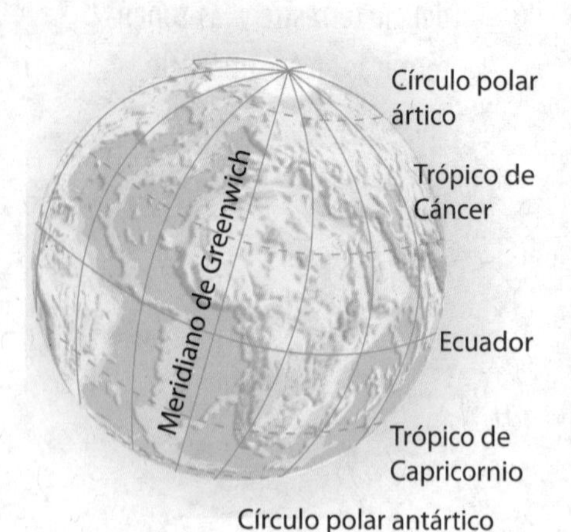

Para localizar lugares en la superficie terrestre, se utilizan como referencia círculos imaginarios: unos rodean al planeta y se trazan paralelos al ecuador, los otros pasan por los polos. Así, se forma una red que permite ubicar con exactitud un lugar en la superficie terrestre.

La Tierra está inclinada

Cuando nuestro planeta gira alrededor del Sol, sigue un trayecto elíptico al que se llama órbita de la Tierra.

El eje terrestre se encuentra ligeramente inclinado respecto al plano de su órbita.

Exploremos

En la imagen siguiente se observan dos líneas: el plano de la órbita de la Tierra y el eje terrestre.

Coloca tu transportador sobre la línea punteada y mide cuántos grados separan al ecuador de la línea que representa el plano de la órbita. Anota los grados en la casilla.

¿Con qué círculos imaginarios coincide el número de grados que mediste en el caso anterior?

Debido a esta inclinación, los rayos del Sol llegan perpendicularmente hasta los trópicos, como lo puedes observar en el esquema de la página 14, ya sea al norte o al sur del ecuador de acuerdo con la estación del año, la cual también se determina por la traslación terrestre.

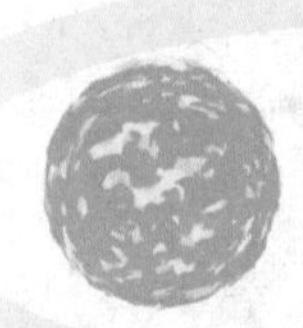

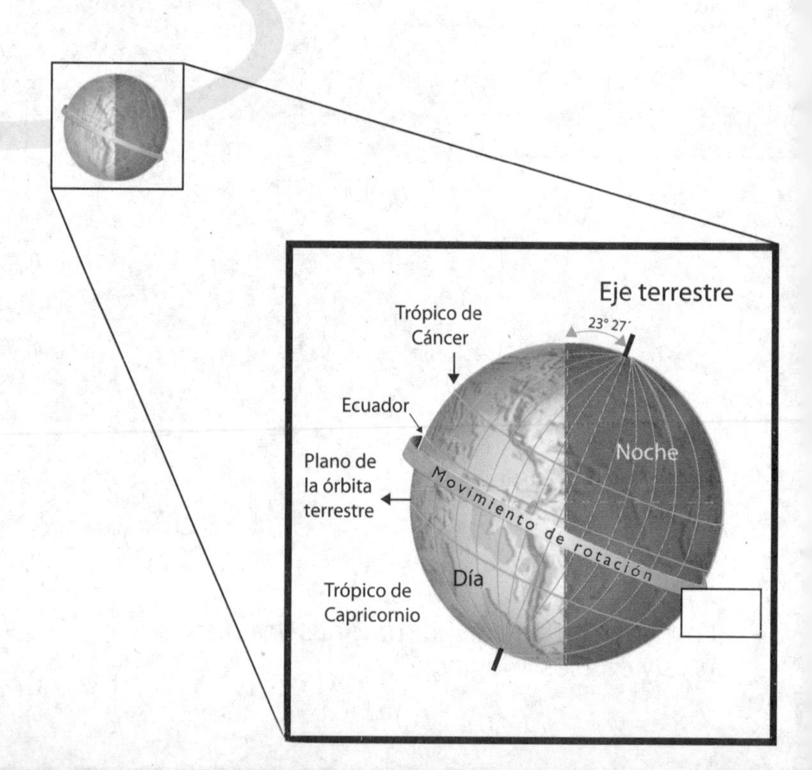

Un dato interesante

El séptimo planeta, Urano, tiene un eje de rotación inclinado a más 90°, es decir, gira prácticamente acostado, rota en sentido contrario al eje de la Tierra, (de este a oeste) y su tiempo de traslación dura 84 años terrestres. Durante el verano, uno de los polos apunta directamente al Sol y todo un hemisferio queda completamente iluminado, mientras que el polo opuesto queda cubierto por una noche de 21 años, ¿lo pueden imaginar?

Zonas térmicas

La forma esférica de la Tierra y su inclinación son las causas por las que en el planeta existen distintas temperaturas. En el ecuador es donde se recibe más calor, pero a medida que los rayos se dirigen hacia los polos, se proyectan de forma oblicua, más inclinados, propiciando que esas partes de la Tierra sean más frías.

De esta manera, se crean cinco grandes zonas térmicas: una tropical o cálida, dos templadas y dos frías o polares.

Zonas térmicas terrestres

Las zonas templadas van de los trópicos (de Cáncer y de Capricornio) a los círculos polares (66° 33', tanto en el norte como en el sur del ecuador), son las más extensas del planeta. Su temperatura es templada; las lluvias y las temperaturas varían entre cada estación del año, las cuales se distinguen bien entre sí.

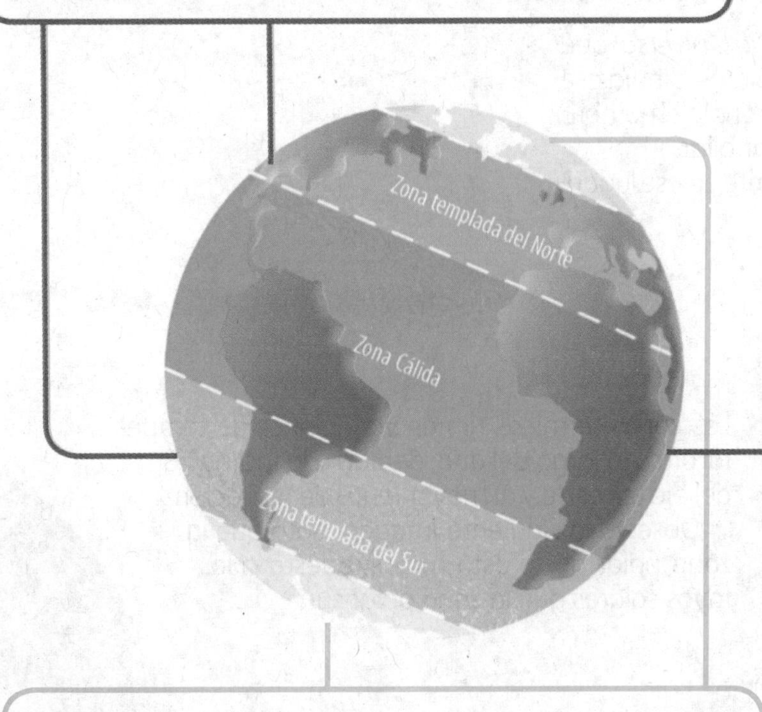

La zona tropical o cálida se extiende del trópico de Cáncer a 23° 27' norte, hasta el de Capricornio, a los 23° 27' sur. Se caracteriza por altas temperaturas y abundantes lluvias todo el año o gran parte del año.

Las zonas frías y polares van desde los círculos polares (ártico en el norte y antártico en el sur) hasta los polos. Ahí se concentran las temperaturas más bajas y sólo hay dos estaciones en todo el año: verano e invierno.

Las zonas más frías del planeta rodean los polos, en el hemisferio norte están formadas por el océano Glaciar Ártico e islas cubiertas por hielo, en el hemisferio sur están representadas por la Antártida, la gran isla que, por sí sola, forma un continente.

Observa las fotografías y escribe sobre la línea en qué zona térmica ubicarías estos lugares.

Investiga en tu *Atlas de Geografía Universal* qué vegetación crece en las zonas polares, dibuja ese paisaje en el recuadro en blanco y anota el nombre del país en el que se pueda desarrollar.

¿En qué condiciones vive la gente en ese lugar? ¿Te gustaría vivir ahí? ¿Por qué?

Las zonas térmicas tienen variaciones de temperatura a lo largo del año, debido a la inclinación del eje terrestre y al movimiento de traslación.

Observa la siguiente imagen, nota que la zona polar norte está más expuesta a los rayos solares que la zona polar sur.

Plano de iluminación

Día

Movimiento de rotación

Noche

Eje terrestre

Perpendiculares

Oblicuos

Tangentes

SOL

Apliquemos lo aprendido

Las zonas térmicas se extienden a modo de franjas, entre distintos paralelos, y varían a partir del ecuador y hacia los polos. Se distribuyen de igual manera hacia el norte y el sur, debido a la forma esférica de la Tierra. Gracias a ello se desarrollan selvas, desiertos, bosques y hielos perpetuos.

Reúnete con un compañero, consulten su *Atlas de Geografía Universal* en la página 43, seleccionen una zona térmica y un hemisferio (norte o sur).

Zona térmica:__________	**Hemisferio:**__________
Continentes	**Climas**
América	
Europa	
África	
Asia	
Oceanía	

Anoten, en la tabla anterior, una N o una S de acuerdo con el hemisferio que eligieron y la zona térmica que seleccionaron.

Localicen el paralelo marcado por la latitud 15°, 50° o 70° N o S, según corresponda a la zona térmica y hemisferio seleccionado, sigan su recorrido y escriban los climas que existen en distintos continentes. Pueden consultar los paralelos en la página 30 de este libro.

En grupo, identifiquen, ¿qué continentes no están comprendidos en alguna de las zonas térmicas?, ¿a qué se debe?

Consulta en...

Para conocer mapas e imágenes de las zonas térmicas, consulta la siguiente página en Internet http://thales.cica.es/rd/Recursos/rd99/ed99-0151-01/ed99-0151-01.html. Acude también a la colección Libros del Rincón de la Biblioteca Escolar para consultar los libros: *Los mapas del mundo* y *Exploración del espacio,* ambos de Robert Coupe, y *La Tierra,* de Miguel Ángel Herrera y Julieta Fierro.

Entra en HDT, al recurso Geografía: "Actividades experimentales", da clic en: ¿Cuándo calientan más los rayos del Sol? y realiza la actividad que se indica. Podrás entender cómo los rayos se reciben de manera perpendicular o inclinada sobre una superficie como la de la Tierra.

Oslo, Noruega

NORGE 2,70
DE SANDVIGSKE SAMLINGER 100 ÅR 1987

Queridos padres:

Les escribo desde Oslo, Noruega, en esta noche de verano, después de la puesta de Sol a las diez de la noche. ¿Se habían imaginado un atardecer a estas horas? Pues hay lugares en el norte de Noruega donde el Sol se oculta casi a la medianoche.

Les envió la postal de Oslo, Noruega, con la puesta de Sol cerca de la medianoche.

Ya falta poco para terminar mis estudios y regresar a Quito.

Los extraño. Besos y abrazos.
Simón

LA TIERRA SE MUEVE

❖ Con el estudio de esta lección reconocerás las consecuencias de los movimientos de la Tierra.

Comencemos

Los atardeceres a las diez de la noche en las regiones polares, como Noruega, se presentan gracias a la forma y movimientos de la Tierra. ¿Cuáles son esos movimientos? Anótalos en tu cuaderno.

A lo largo de esta lección reconocerás en diferentes sucesos de la vida diaria, la influencia de estos movimientos.

Reúnete con un compañero y respondan: durante el verano, ¿a qué hora empieza a oscurecer en el lugar donde viven? ¿En qué otro lugar del planeta puede amanecer a las tres de la mañana como en Noruega? ¿Les gustaría vivir en una región polar? Expresen sus ideas en el grupo.

❖ Un Dato Interesante

El sol de medianoche es un fenómeno que se puede observar en latitudes próximas a los círculos polares, durante el cual, el Sol es visible las 24 horas del día en las fechas próximas al solsticio de verano. Los países que pueden percibir este fenómeno están en el hemisferio norte, son Alaska, Canadá, Groenlandia, Noruega, Suecia, Finlandia, Rusia y el extremo norte de Islandia. En el norte de Finlandia, el Sol no se oculta durante 73 días y en Svalbard, Noruega, durante 120 días aproximadamente.

Actividad

Observen las siguientes imágenes y la postal de Simón. Formen equipos y expresen sus ideas sobre la causa de cada suceso.

Anoten su explicación en el cuaderno e intercámbienla con la de otros equipos.

❖ Invierno en Central Park, Nueva York.

❖ Otoño en Central Park, Nueva York.

❖ Imagen satelital del norte del océano Atlántico, Europa y el oeste de África.

Aprendamos más

Cada planeta y algunos cuerpos en el espacio siguen una trayectoria específica, a ésta se le llama órbita y tiene una forma elíptica. Si quieres saber más sobre el Sistema Solar, consulta el *Atlas de Geografía Universal*.

Recuerda que la Tierra es el tercer planeta de los ocho que hay en el Sistema Solar y que realiza dos movimientos principales: el de *rotación*, sobre su propio eje, y el de *traslación*, alrededor del Sol, sobre su órbita.

Consulta en...

Además del movimiento de rotación y traslación, la Tierra realiza otros dos movimientos: nutación y precesión. Para saber en qué consiste cada uno, consulta el sitio electrónico www.astromia.com, para que obtengas información sobre estos movimientos.

Entra en HDT al recurso "Actividades experimentales", da clic en: ¿Por qué no hay sombra al medio día?, para que identifiques una consecuencia del movimiento de traslación y la inclinación del eje terrestre.

HDT

Movimiento de rotación

La Tierra gira sobre su eje de oeste a este, cada 24 horas un mismo punto de la Tierra pasa nuevamente frente al Sol. Cuando el Sol ilumina la mitad de la superficie terrestre, durante el movimiento de rotación, en esa parte es de día; mientras que en la otra es de noche, originando así la sucesión de los días y las noches.

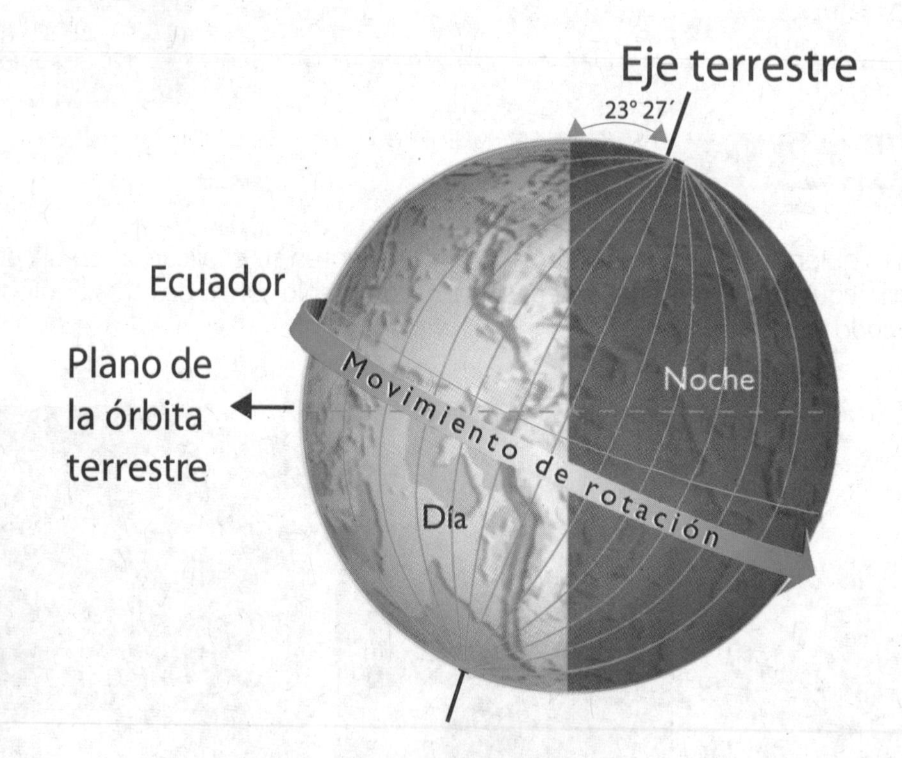

La inclinación del eje terrestre origina que los días y las noches no duren lo mismo en diferentes puntos del planeta. Por ejemplo, en el ecuador, el día y la noche tienen casi la misma duración durante casi todo el año; en cambio, conforme se avanza hacia los polos, los días o las noches se alargan hasta que llegan a durar 24 horas dependiendo si es verano o invierno.

Actividad

Observa el esquema del movimiento de rotación y con ayuda del maestro comenta en grupo lo siguiente.

- Menciona el nombre de un país de América en el que ya es de noche y un país donde todavía es de día.
- ¿Por qué cuando en el Polo Norte es de noche, en el Polo Sur es de día?

Movimiento de traslación

El movimiento de traslación es el que realiza la Tierra alrededor del Sol, y tarda 365 días y 6 horas en ejecutarlo. Esas seis horas restantes se acumulan durante cuatro años para formar un día más que se agrega al mes de febrero, en un año al que se le llama bisiesto.

La inclinación del eje de la Tierra y el movimiento de traslación originan las cuatro estaciones del año: primavera, verano, otoño e invierno. Aunque en las regiones cercanas al ecuador no se observan las cuatro estaciones, ya que la temperatura casi no varía durante todo el año.

Cada estación dura tres meses. ¿Has notado qué ocurre en cada estación? ¿Cómo cambian la temperatura y la vegetación?

Se les llama equinoccios a los dos momentos del año en los que el Sol está justo frente al ecuador e ilumina por igual el hemisferio norte y el hemisferio sur, por lo que la noche y el día tienen la misma duración. El equinoccio de primavera, en el hemisferio norte, marca su inicio alrededor del 21 de marzo.

Se les llama solsticios a los dos momentos del año en los que existe una mayor diferencia entre la duración del día y la noche. Ocurren el 21 de junio y el 22 de diciembre en los trópicos de Cáncer y Capricornio.

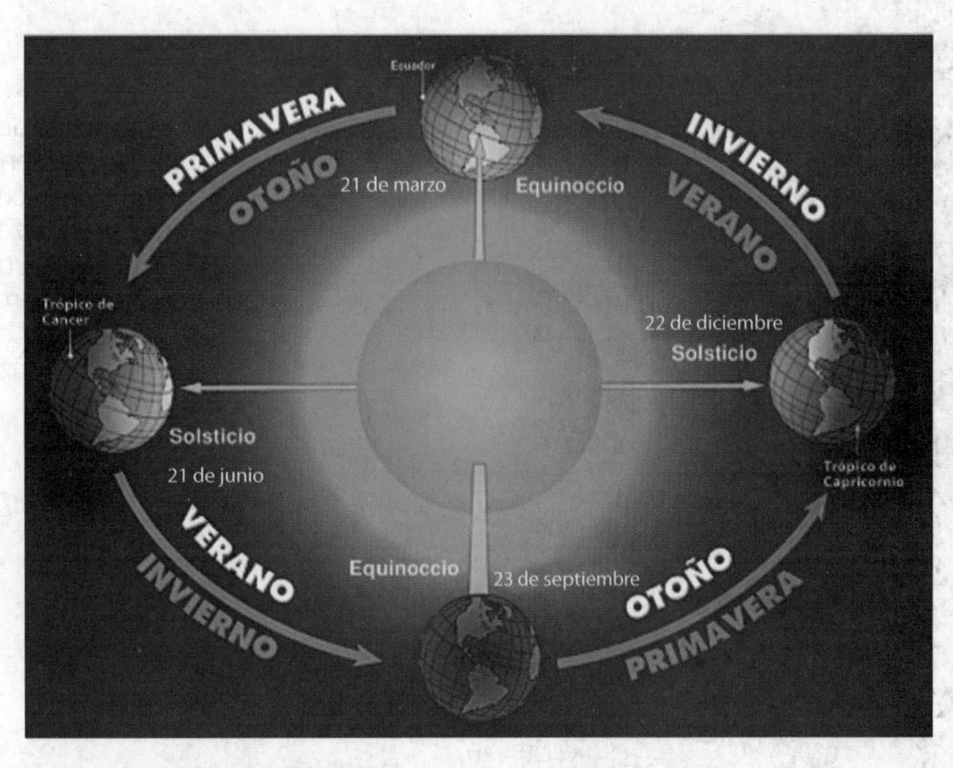

Observa en el esquema que durante el verano, en el hemisferio norte, los rayos solares llegan perpendiculares hasta el Trópico de Cáncer, por eso en el hemisferio sur es invierno, esto ocurre del 21 de junio al 22 de septiembre aproximadamente. Si en el hemisferio norte es primavera, del 21 de marzo al 20 de junio, en el hemisferio sur es otoño en esas mismas fechas.

Actividad

Escribe en la siguiente tabla las estaciones que correspondan a los cuatro periodos.

	21 de marzo 20 de junio	21 de junio 22 de septiembre	23 de septiembre 21 de diciembre	22 de diciembre 20 de marzo
Hemisferio norte	Primavera			
Hemisferio sur		Invierno		

Observa el esquema del movimiento de traslación y contesta en tu cuaderno lo siguiente.

- Mientras nosotros estamos en verano, ¿qué estación tienen en Argentina?
- ¿Por qué en la zona templada se observa más el cambio entre una estación y otra?
- ¿Por qué desde el sur de México hasta Brasil sólo hay dos estaciones: seca y lluviosa?

Comenta tus respuestas con tus compañeros.

Exploremos

Lee la carta siguiente.

Buenos Aires, Argentina, a 20 de diciembre de 2009.

Hola, Armando:
¿Qué crees? Sí te voy a visitar a Monterrey, llegaré el 26 de diciembre, después de Navidad. Tengo muchas cosas que contarte. Visité a mi tío Juan, que es estanciero en la pampa. He leído que a la pampa, en otros países le llaman pradera. Un día íbamos por la carretera y ¡qué increíble!, pasa mucho tiempo sin que veas un solo árbol. Conocí a un señor de la pampa y me sorprendió cómo usa las boleas para tirar al ganado y marcarlo. Cuando nos veamos te muestro las fotografías. En Buenos Aires se siente mucho calor. Oye, ¿qué ropa me recomiendas llevar a Monterrey?

Saludos.
Eva.

Con ayuda de tu maestro, localiza Monterrey y Buenos Aires en tu *Atlas de Geografía Universal*. Identifica el ecuador y contesta: ¿en qué hemisferios se localizan estas ciudades?

¿Por qué Eva dice que en ese momento se siente mucho calor en Buenos Aires?

De acuerdo con la fecha de la carta, ¿qué estaciones del año se presentan en Monterrey y en Buenos Aires?

◈ Pampa es una palabra quechua que significa llanura.

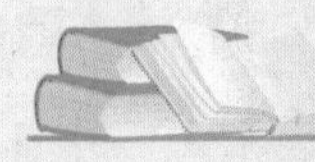

Apliquemos lo aprendido

Organizados en equipos, observen las imágenes y analicen la descripción que cada niño hace durante sus vacaciones de fin de año. Comenten y escriban en su cuaderno la estación del año que se presenta en cada país y por qué realizan diferentes actividades.

Diciembre en Australia

Durante las vacaciones de diciembre nos gusta ir a la playa para refrescarnos, pues en el día hace mucho calor. Si no podemos ir a la playa, aquí, en Sydney, nos reunimos en parques y jardines. Acostumbramos comer mariscos, jamón dulce, ensaladas, carnes frías y un postre de leche frío al que llamamos natilla.

Nos vestimos con camisetas de tirantes y pantalones cortos para estar más frescos.

Diciembre en Dinamarca

Los niños daneses esperamos con gran expectación las vacaciones de fin de año, y es que si tenemos suerte y nieva, podemos jugar con bolas de nieve y hacer muñecos. A veces es tan frío que los lagos se congelan, y podemos caminar y patinar. También nos gusta ir al bosque para escoger el pino que adornará nuestra casa durante todas las fiestas de fin de año. Siempre hay pinos, pues por cada árbol que se corta, se siembran más. Nos abrigamos con chamarras, gorros y guantes, pues en el bosque se siente mucho frío. Mientras cenamos entre las 6 y las 7 de la noche, vamos decorando con velas el árbol de navidad.

Diciembre en Venezuela

Las vacaciones de diciembre son bonitas, pues hace calorcito y ya no llueve tanto. Las calles son todo un bullicio, pues salimos todos los niños a jugar. A principios de diciembre y durante todo el mes se escuchan las gaitas y tambores que son comunes en todo el país. Empiezan a tocar a las ocho de la noche y terminan en la madrugada. En diciembre también se organizan con los vecinos las llamadas patinatas, son reuniones que se hacen por las tardes en la calle; avenidas enteras se cierran para que podamos patinar o andar en bicicleta, de ahí el nombre. Ya en casa comemos hallacas, ¡son deliciosas! Se hacen con masa de maíz, se rellenan de carne con aceitunas, pasas y otras cosas, y se envuelven en hoja de plátano.

¿Qué sucedería con las estaciones del año si la Tierra no se trasladara alrededor del Sol? Comenten su respuesta en grupo.

Bangkok, Tailandia

Hola, mamá.

Estoy en Tailandia, del otro lado del mundo (si ves en un globo terráqueo, México está justo del otro lado).

Compré un mapa para poder recorrerlo sin mayor problema, aunque muchos símbolos no los entendí.

A mi regreso te mostraré fotos impresionantes de las maravillas que he visitado.

Penélope

¿PARA QUÉ ME SIRVEN LOS MAPAS?

❖ Con el estudio de esta lección reconocerás la utilidad de los mapas para estudiar y representar la superficie de la Tierra.

Comencemos

Los globos terráqueos y los mapas te permiten conocer distintas características de muchos lugares, como Tailandia, a partir del uso de sus elementos. Recuerda cuáles son los elementos de los mapas y coméntalos con un compañero.

Los mapas son herramientas útiles para diversas situaciones; por ejemplo, Penélope utilizó uno para recorrer Bangkok; tú, ¿para qué has utilizado mapas?

Actividad

Localiza en tu *Atlas de Geografía Universal*, en la página 57, la ciudad de Bangkok, Tailandia, e identifica en qué continente se localiza y los países con los que colinda; si tienes un globo terráqueo localiza Tailandia y México. Comenta con tus compañeros por qué dice Penélope que Bangkok está "del otro lado del mundo". Si no tienes un globo terráqueo, utiliza algún planisferio del atlas y, con ayuda de tu maestro, localiza los dos países. Comenta tus respuestas.

❖ El globo terráqueo es la representación de la Tierra más precisa, ya que no hay una deformación de la superficie. El primer globo terráqueo lo diseñó el cartógrafo y navegante alemán, Martin Behaim, en el siglo XV.

Aprendamos más

Consulta en...

Para saber más sobre las proyecciones, entra en HDT al recurso "Proyecciones plana y cilíndrica".

Los mapas son representaciones planas de la superficie terrestre, y se utilizan elementos para expresar ciertos componentes del espacio seleccionado: la simbología, las coordenadas, la escala y la orientación. Hay diferentes tipos de mapas, todos responden a necesidades distintas, ya que sólo representan aspectos específicos, por ejemplo, ríos, montañas, división política, entre otros.

Exploremos

Completa la siguiente tabla, anota el título del mapa o mapas y la página de tu *Atlas de Geografía Universal* en la que puedes obtener información para resolver las siguientes situaciones.

Situaciones	Mapa o mapas	Página o páginas
Carlos visitará el Parque Nacional Iguazú, en la frontera de Argentina, Brasil y Paraguay; quiere saber qué tipo de relieve tiene, su clima, qué región o regiones naturales hay y qué ríos alimentan esas enormes cascadas.		
El grupo de 5° B se ganó un viaje para visitar París y su maestra les encargó que investigaran en su atlas, el clima, los sitios de patrimonio natural y cultural, y las actividades económicas que se realizan en Francia.		

Comenten: ¿qué tipo de mapa utilizaron en cada situación? ¿Para qué son útiles los mapas?

Anoten en su cuaderno una situación en la que ustedes hayan utilizado o utilizarían un mapa.

Existen diferentes tipos de mapas y cada uno tiene un uso específico.

Proyecciones cartográficas: aplanando la Tierra

Para representar en papel o en otra superficie plana la forma de la Tierra, es curva, se realizan cálculos geométricos con los círculos imaginarios que envuelven al planeta: paralelos y meridianos. Los cartógrafos, que son los responsables de elaborar diferentes tipos de mapas, proyectan esos círculos en líneas sobre un plano, deformando la representación de la superficie terrestre.

Actividad

Organícense por equipo, consigan un globo terráqueo y observen los mapas que aparecen a continuación e identifiquen cómo se representan los paralelos y meridianos en cada uno.

Con ayuda de su maestro, localicen en cada representación los siguientes países: México, Groenlandia, Australia, Rusia y Alaska; así como de la Antártida. Comparen su forma y su tamaño, primero entre los cinco países y después en cada proyección.

Con el resultado de sus observaciones, elaboren en su cuaderno una tabla como la siguiente, en la que anoten las diferencias que encontraron de un mismo lugar, entre un mapa y otro.

Tipo de proyección	México	Groenlandia	Australia	Rusia	Antártida	Alaska
Mercator						
Robinson						
Goode						

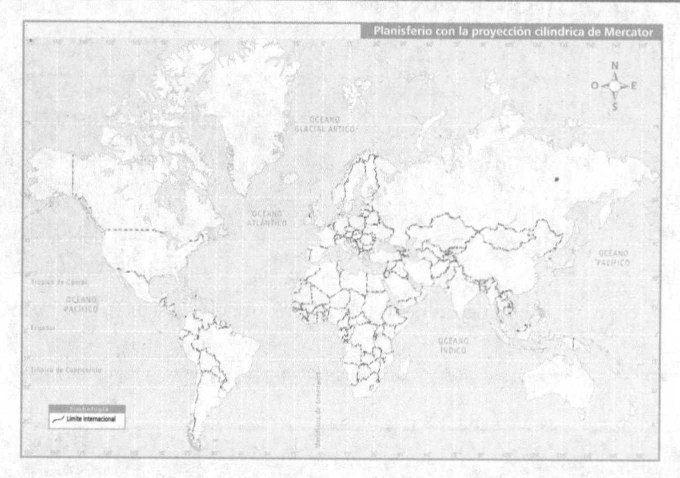

Planisferio con la proyección cilíndrica de Mercator

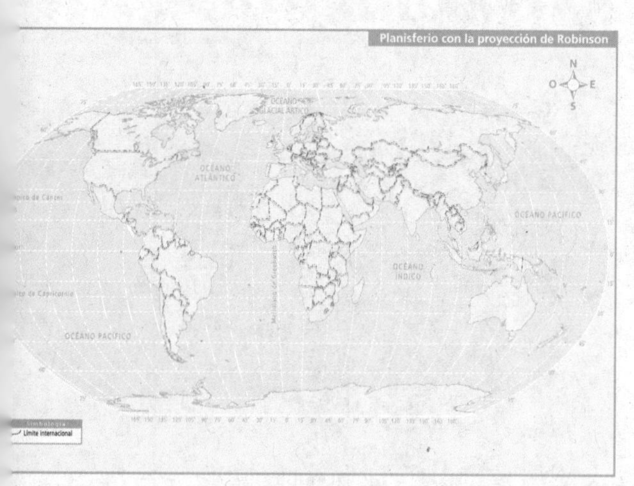

Planisferio con la proyección de Robinson

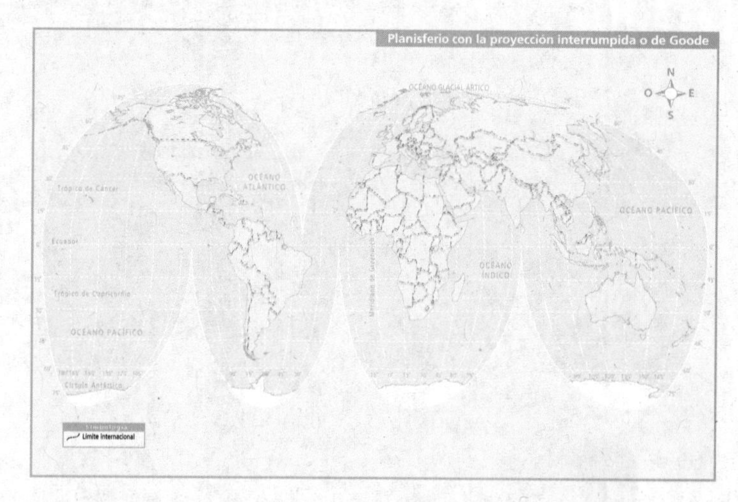

Planisferio con la proyección interrumpida o de Goode

Los mapas tienen diferentes formas, representan porciones de tierra y dimensiones distintas, de acuerdo con la proyección cartográfica con la que se elaboran, y según el uso y finalidad que tengan.

Comenta con tus compañeros cuál de las proyecciones distorsiona más la forma de los continentes.

La cartografía es importante para todos los países del mundo, ya que a través de ella se pueden identificar, representar y relacionar los componentes del espacio geográfico. De acuerdo con la información que se desea representar, existen diferentes tipos de mapas, por ejemplo:

Mapa	Información
Mapa turístico	Incluye información diversa como ubicación de lugares, vías de comunicación y puntos de interés histórico, recreativo y cultural, entre otros. Útil para las personas que visitan una región o un país.
Mapa de carreteras	Representa la red de carreteras de un país o región.
Mapa histórico	Designa tanto a mapas antiguos como a mapas actuales y contienen información sobre lugares con importancia histórica.
Mapa de división política	Muestra la división territorial mundial, continental, de un país o de una entidad federativa.

Un dato interesante

Arno Peters diseñó su proyección argumentando que los europeos utilizaban la de Mercator para hacer más grande la apariencia de Europa en comparación con el resto del mundo. En cambio, su proyección resalta el verdadero tamaño de los continentes, en beneficio de los países que se encuentran cerca del ecuador, y en el hemisferio sur, que tienen un desarrollo menor.

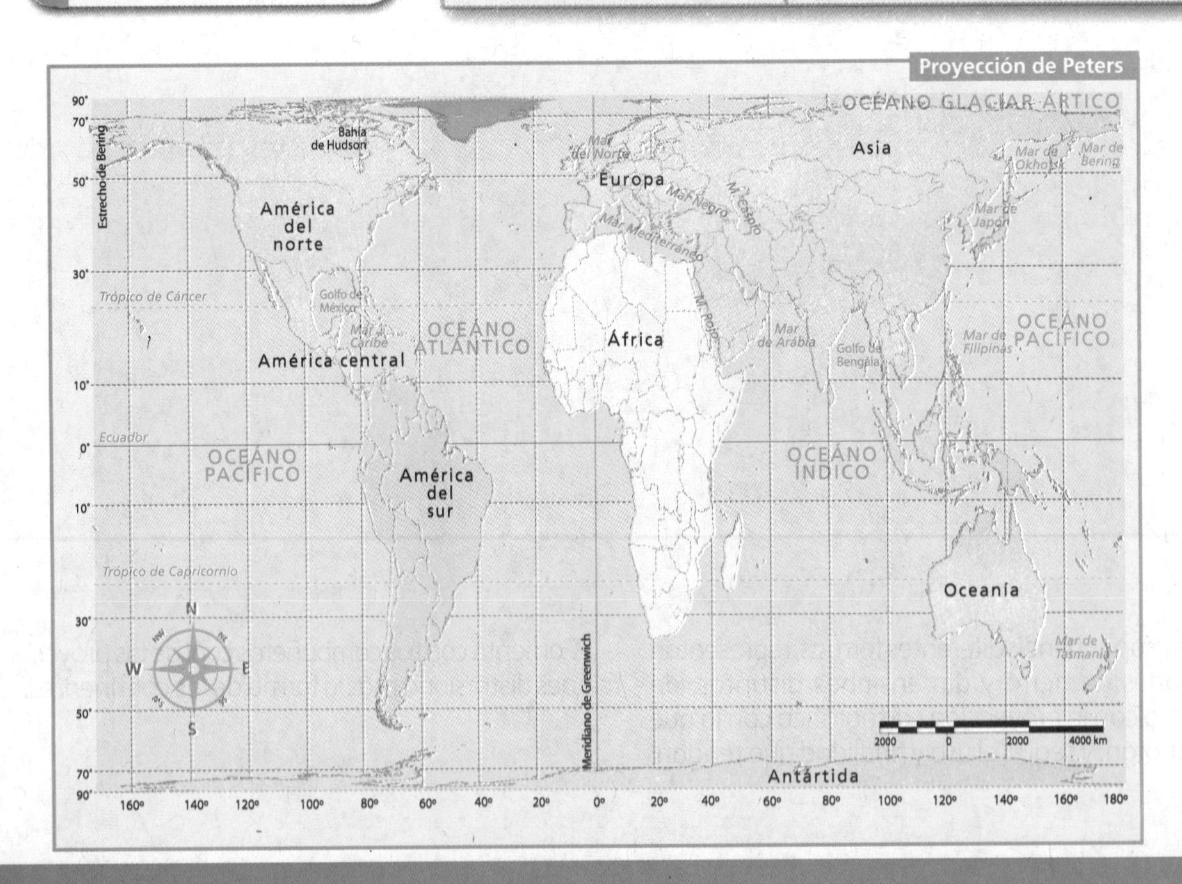

Apliquemos lo aprendido

Organizados por equipo, observen el mapa de la página 67 de su *Atlas de Geografía Universal* y elijan un lugar fuera de México, ya sea patrimonio cultural o natural de la humanidad, e imaginen que son exploradores. Ustedes visitarán ese lugar; es necesario que investiguen las principales rutas para llegar y las diferentes ciudades por las que van a pasar.

Consulten diferentes mapas para conocer más del país en donde se localiza el lugar que eligieron, por ejemplo, división política, relieve, clima, lenguas u otras características.

Seleccionen una de las proyecciones (Mercator, Robinson o Interrumpida o de Goode), para que elaboren un mapa en donde tracen el recorrido que van a realizar desde México hasta el país en donde se localiza el lugar elegido.

Comenten y escriban en su cuaderno por qué fueron de utilidad los mapas que consultaron y presenten su trabajo al grupo.

Gerardus Mercator (1512-1594), cartógrafo flamenco que diseñó la proyección cilíndrica que lleva su nombre. Algunos autores lo consideran el padre de la cartografía moderna, ya que con base en sus teorías y propuestas se han desarrollado las nuevas proyecciones.

Mapa de Nueva Orleans, 1885. Más que un mapa es un dibujo, no se basa en una proyección, ni considera los elementos de un mapa. Lo importante era mostrar los recursos naturales y económicos de la región presentada, por ejemplo, el río Mississippi y sus embarcaciones.

París, Francia

Hola, Iván.

Querido nieto, te envío un gran abrazo desde Francia, donde está la ciudad más visitada del mundo. Ojalá puedas visitarme algún día.

¿Sabes dónde está? Trata de localizarla en un atlas y de regreso me lo muestras, ¿sale?

Saludos a toda la familia.

Tu abuelo

¿CÓMO LOCALIZO?

❖ Con el estudio de esta lección localizarás lugares de interés y ciudades capitales a partir de las coordenadas geográficas y la división política del mundo.

Comencemos

En la postal de la página anterior se ve una ciudad, ¿cuál será? ¿Cómo se localiza esa ciudad en un mapa? Coméntalo con tus compañeros.

Actividad

Lean el texto, después formen parejas y realicen las actividades.

Hola, Eva, ¿ya viste la postal que te mandé? Es de la ciudad de París, en donde nació mi abuelo. También llevé una a la escuela y la maestra nos pidió de tarea que buscáramos la localización de la ciudad. Algunos de nosotros le dijimos que París está en Francia, pero quería que investigáramos su localización exacta.

Nunca imaginé cuántos datos se necesitan para saber la localización de un lugar. Aprendí que la ciudad está en las coordenadas geográficas 49° latitud norte y 3° longitud este. Además, se encuentra a 60 metros sobre el nivel del mar (msnm). Al principio no supe qué significaban todos esos datos, pero los encontré en el *Atlas de Geografía Universal*. Ahora ya puedo localizar los lugares que me interesan mediante sus coordenadas.

Saludos. Iván

Comenten en grupo el significado de los datos mencionados y para qué sirven. ¿Qué relación tienen los datos que investigó Iván con los paralelos y los meridianos?

Aprendamos más

Para localizar un lugar en la superficie del planeta, tenemos que ver en el mapa las coordenadas geográficas. Éstas están dadas por la latitud y longitud.

Latitud y longitud

ver anexo

La latitud es la distancia entre el ecuador y el paralelo que pasa por un punto cualquiera de la Tierra. Se expresa en grados, desde el ecuador, con 0°, hasta 90° en los polos. La localización de un punto será norte o sur, según sea su posición respecto del ecuador. Observa el planisferio que está en el anexo, página 184, para que localices, por latitud, en qué hemisferio está Italia, en cuál Sudáfrica y en cuál Brasil. ¿En qué hemisferios se encuentran de acuerdo con su latitud?

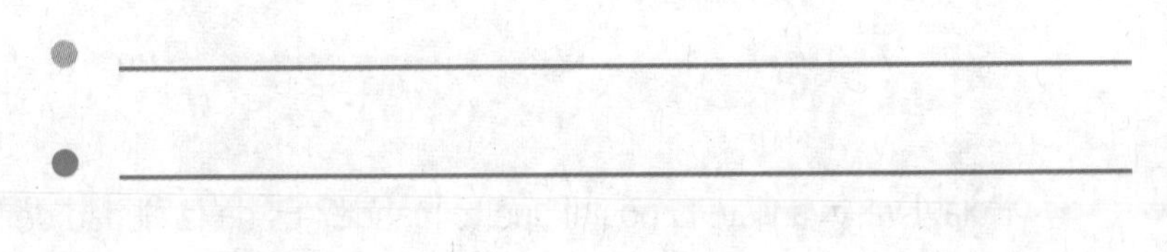

Una vez que se ha señalado la latitud, es necesario anotar la longitud, que es la distancia que hay entre el meridiano de Greenwich y el meridiano que pasa por un punto cualquiera sobre la superficie terrestre. La longitud de un punto determinado será este u oeste, dependiendo de su posición respecto al meridiano 0. La longitud también se expresa en grados, de 0° a 180° (la longitud del meridiano de Greenwich es de 0°). En el mapa que está en la página 185 del anexo, identifica qué meridianos cruzan Brasil, cuáles Italia y cuáles Sudáfrica. ¿En qué hemisferios se encuentran de acuerdo con su longitud?

- ______________________________
- ______________________________
- ______________________________

Exploremos

Con la ayuda de tu maestro, localiza las siguientes ciudades capitales en los planisferios de tu *Atlas de Geografía Universal*, páginas 54 a 59, de acuerdo con las coordenadas geográficas más cercanas y completa la tabla. Anota en los recuadros en blanco una ciudad o lugar que elijas, con sus respectivas coordenadas.

Localización de ciudades			
Ciudades capitales	**País**	**Latitud aproximada**	**Longitud aproximada**
Panamá		10º norte	80º oeste
Praga		50° norte	15° este
El Cairo		30° norte	30° este
Bakú		40° norte	50° este
Honiara		10° sur	160° este

Altitud

Además de la latitud y la longitud, Iván escribió que París se encuentra a 60 msnm; quiere decir que la altitud de la ciudad de París es de 60 metros sobre el nivel del mar. La altitud es la distancia vertical, medida en metros, de un lugar cualquiera sobre la superficie de la Tierra, tomando como punto de referencia el nivel del mar.

Las mayores altitudes de México están en el Sistema Volcánico Transversal, el cual está formado por numerosos volcanes ubicados desde el océano Pacífico hasta el Golfo de México, por lo que representan un límite natural entre el norte y el sur del país (en el *Atlas de Geografía Universal*, página 81, puedes ver su localización). El dibujo de abajo muestra algunos volcanes de este sistema.

¿Cuál es el volcán de mayor altitud en México? ____________________

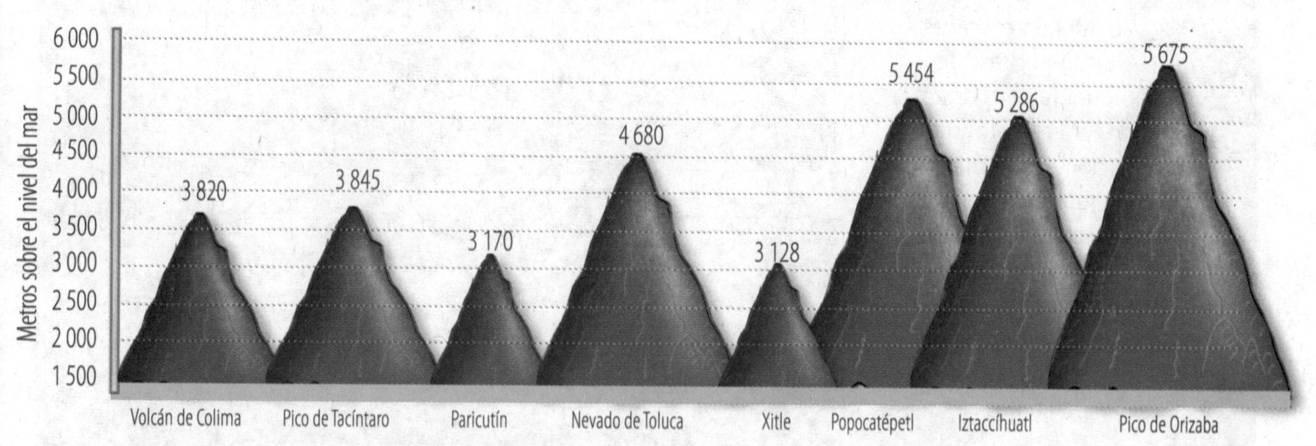

Investiga en tu *Atlas de Geografía Universal*, página 25, cuál es la montaña más alta de América y cuál la del mundo. ____________________

Comenten en grupo, ¿cuántos metros de diferencia hay entre la cúspide más alta de México, la de América y la del mundo?

División política mundial

Observa tu tabla de localización de ciudades capitales de la página anterior. En ella localizaste algunas ciudades a partir de sus coordenadas geográficas. Si no conocieras sus coordenadas geográficas, ¿de qué otra manera las localizarías? Es posible localizar países y ciudades capitales importantes si conocemos la división política.

Políticamente, el ser humano ha dividido al mundo en cinco continentes: América, Europa, Asia, África y Oceanía, en los que se pueden contar cerca de 200 países que se caracterizan por tener un territorio, cierto número de habitantes, recursos, un sistema de gobierno específico y una determinada organización política.

En grupo, dibujen un mapa mural con paralelos y meridianos, entre todos, decidan el tamaño que tendrá. Formen cinco equipos, cada equipo representará un continente.

Seleccionen dos países, conviértanse en reporteros e investiguen para la siguiente sesión algún hecho importante de esos países para que los conozcan los demás. Busquen la información en la televisión, el radio, el periódico o Internet.

Cada equipo localice en el mapa mural los países seleccionados, anoten su nombre, las coordenadas, su capital y comuniquen a los demás la noticia investigada.

Consulta en...

Entra en HDT al recurso "Mundo en capas", donde podrás identificar cualquier país. Al seleccionar en el icono de información el nombre del país que te interesa, el interactivo te ubicará en él y te dará una ficha informativa. Si sobrepones la capa de coordenadas, identificarás también algunas de sus latitudes y longitudes.

HDT

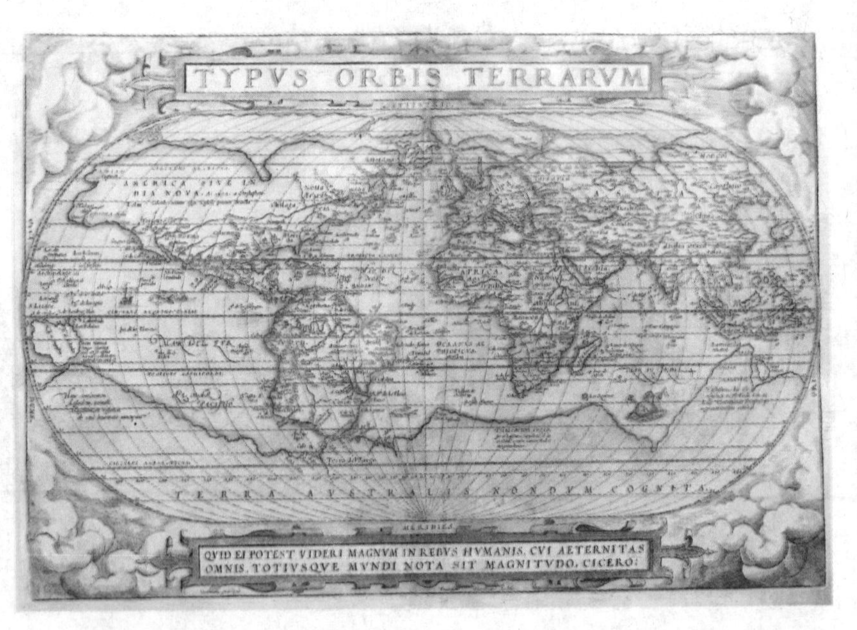

Abraham Ortelius (1527-1598), geógrafo y cartógrafo flamenco que diseñó y desarrolló el primer atlas moderno, originalmente con 70 mapas. Éste que se muestra es un planisferio (El Orbe de la Tierra), trazado en 1570.

Apliquemos lo aprendido

¿Has leído el libro *La vuelta al mundo en 80 días*, del escritor francés Julio Verne? La historia transcurre en el siglo XIX y cuenta las aventuras de un personaje, Phileas Fogg, quien viaja alrededor del mundo explorando tierras lejanas y desconocidas. Si tuvieras 80 días para viajar alrededor del mundo, ¿qué países visitarías? ¿Por qué?

◈ Julio Verne (1828-1905). Además de *La vuelta al mundo en 80 días*, escribió *20 mil leguas de viaje submarino* y *Viaje al centro de la Tierra*.

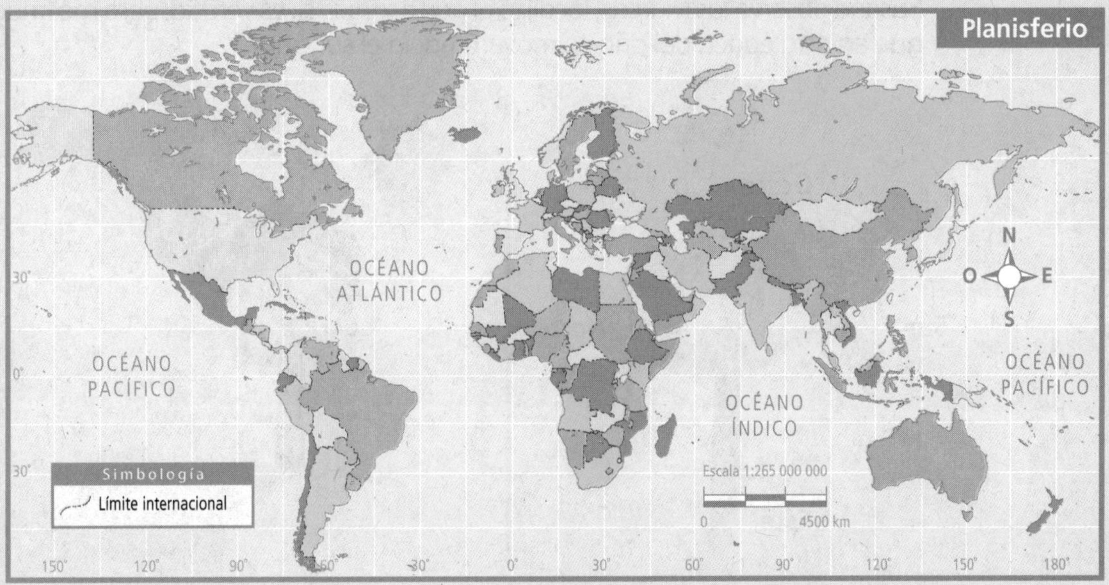

Con ayuda de tu *Atlas de Geografía Universal*, traza en el mapa de arriba la ruta para llegar a los países que elegiste.

En tu cuaderno elabora una lista de los lugares elegidos, y anota el país y sus coordenadas geográficas. Escribe un texto breve en el que expliques si atravesaste hemisferios, si viajaste hacia el norte, al sur, al este o al oeste y por qué elegiste esos países. Compártelo con tus compañeros.

Lo que aprendí

Lee el diálogo y responde las preguntas. Recuerda que puedes revisar tus lecciones.

En una ciudad de Nuevo León, Susana caminaba de regreso a su casa, cuando se encontró con Fernando, su vecino, se detuvo y lo miró. Él estaba haciendo unas marcas en el piso.

S: Hola, Fer, ¿qué haces?

F: Estoy marcando el límite de la sombra del árbol.

S: ¿Para qué?

F: Para ver cómo, día a día, a la misma hora, la sombra va cambiando. Mira las marcas de los 45 días anteriores, ve cómo se va moviendo poco a poco hacia el norte.

Susana observó las marcas, localizó el norte y dijo: sí, es verdad, pero me imagino que en otra época del año se moverá hacia el sur, ¿no?

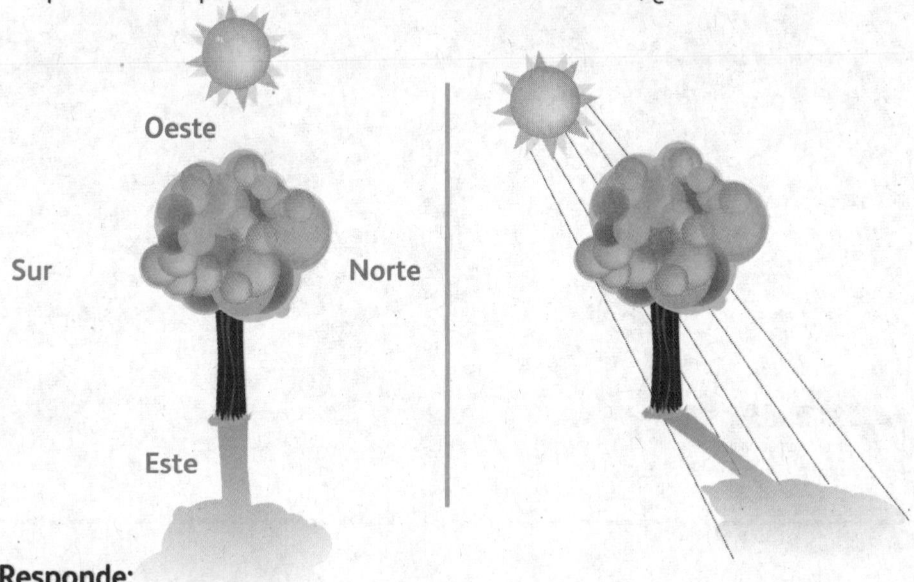

Responde:

¿Qué movimientos de la Tierra influyen en el cambio de las marcas que hace Fernando?

____

¿En qué hemisferio se localiza Nuevo León?

____

En México, ¿en qué estación del año, la salida y la puesta de Sol se desplazan hacia el sur?

____

En el hemisferio opuesto al que se localiza México, ¿en qué estación del año, la salida y puesta de Sol se desplazan hacia el norte? _______________

F: Así es, en el hemisferio norte, la salida y puesta del Sol se recorren hacia el norte en verano, pero al sur del ecuador. Un amigo que vive en Sudáfrica me contó que allá ocurre la situación contraria.

S: ¡Ah sí!, y ¿dónde está Sudáfrica?, bueno, ya sé que en África, pero dónde exactamente.

F: Ven, en este atlas se puede ver que está del otro lado del Atlántico, a ocho horas de diferencia, en el hemisferio sur, al sur de Namibia y de la isla de Madagascar, de hecho es el extremo sur de ese gran continente.

S: Oye, está casi a la misma latitud que Uruguay, yo creí que estaba mucho más al sur, o que Uruguay estaba más al norte. ¿Consideras que es un gran continente?

F: Comparemos su tamaño con el de Europa.

S: No, pues sí, pero si consideramos a Groenlandia, que pertenece a Dinamarca, entonces no es tan grande. Parece que esa sola isla ocupa casi la mitad de África.

F: Sí, eso parece en este mapa, pero veamos los datos. Groenlandia tiene una superficie de 2 166 086 km² y África de 30 272 922 km².

S: ¡Órale! Cuánta diferencia.

Anota:

Los círculos imaginarios que le permitieron ver a Susana que Uruguay y Sudáfrica están casi a la misma latitud.

____

Otros países que se localizan a esa misma latitud.

____

¿Por qué en el mapa pareciera que Groenlandia es casi la mitad de África y los datos estadísticos nos dicen que es menos de una décima parte?

____

¿Para qué sirve un mapa de división política y otro de coordenadas geográficas?

____

Mis logros

La imagen representa a la Tierra en una época del año. Obsérvala cuidadosamente y responde a las siguientes preguntas, marca con una palomita (✓) la respuesta correcta.

1. De acuerdo con la época del año representada en el esquema, cuál es la estación que hay en el norte de África:
   ( ) Primavera ( ) Verano ( ) Otoño ( ) Invierno

Día

Noche

2. Observa el eje terrestre e imagina el movimiento de rotación. ¿Qué característica presentan los días y las noches en esta época del año?
   ( ) Las noches más cortas las tiene el norte de Europa.
   ( ) Se puede ver el Sol hasta la media noche en el sur de Europa.
   ( ) Los días son más cortos en el norte de Europa.
   ( ) Días y noches son iguales en ambos polos.

3. Observa los paralelos trazados e indica la expresión correcta.
   ( ) Los trópicos separan las zonas templadas de las frías.
   ( ) El trópico de Capricornio se localiza a los 23°27’ del hemisferio norte.
   ( ) El trópico de Cáncer cruza países como Egipto y México.
   ( ) El círculo polar antártico se localiza a una latitud de 90° sur.

4. ¿Cómo se le llama a la distancia que hay entre el ecuador y el paralelo de un lugar cualquiera sobre la superficie terrestre?
   ( ) Altitud ( ) Latitud ( ) Longitud ( ) Hemisferio

5. Los paralelos y los meridianos se miden en:
   ( ) Horas ( ) Metros ( ) Grados ( ) Kilómetros

6. Un grupo de empresarios de África busca colocar una empacadora de pescado, las condiciones para hacerlo son: que se localice en ese continente y tenga costa en el mar Mediterráneo, ¿cuál de los siguientes países sería una opción?
   ( ) Grecia ( ) Nigeria ( ) Arabia Saudita ( ) Marruecos

Autoevaluación

Es tiempo de que evalúes lo que has aprendido en este bloque. Lee cada enunciado y marca con una palomita (✓) el nivel que hayas alcanzado.

Aspectos a evaluar	Lo hago bien	Lo hago con dificultad	Necesito ayuda para hacerlo
Identifico en el globo terráqueo y en diferentes esquemas, la relación entre la forma de la Tierra y las zonas térmicas (tropical, templada y fría).			
Analizo en modelos y esquemas el movimiento de rotación para reconocer sus consecuencias.			
Identifico en esquemas y modelos la relación del movimiento de traslación y la inclinación del eje terrestre con las estaciones del año.			
Localizo lugares que me interesan y ciudades capitales a partir de las coordenadas geográficas y de la división política del mundo.			

Escribe una situación en la que apliques lo que aprendiste, hiciste e investigaste en este bloque.

____

____

____

Aspectos a evaluar	Siempre	Lo hago con dificultad	Difícilmente lo hago
Utilizo los mapas para actividades cotidianas, por ejemplo, para localizar lugares de mi interés.			
Socializo con mis compañeros las conclusiones de las actividades.			

Me propongo mejorar en: ____

BLOQUE II

Componentes naturales de la Tierra

Imagen satelital del río Amazonas.

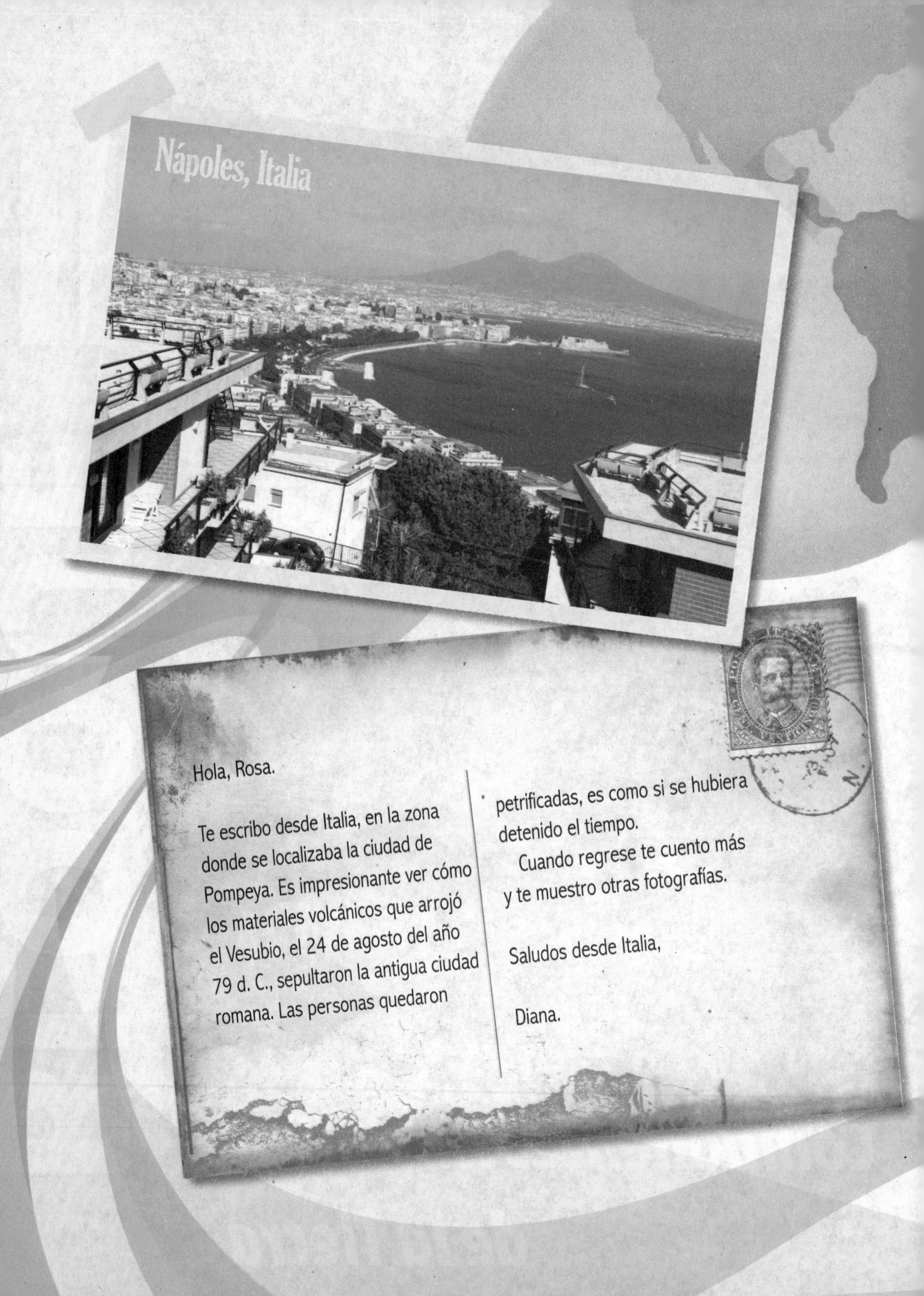
Nápoles, Italia

Hola, Rosa.

Te escribo desde Italia, en la zona donde se localizaba la ciudad de Pompeya. Es impresionante ver cómo los materiales volcánicos que arrojó el Vesubio, el 24 de agosto del año 79 d. C., sepultaron la antigua ciudad romana. Las personas quedaron petrificadas, es como si se hubiera detenido el tiempo.

Cuando regrese te cuento más y te muestro otras fotografías.

Saludos desde Italia,

Diana.

ENTRE VALLES, LLANURAS Y MONTAÑAS

❖ Con el estudio de esta lección describirás la distribución del relieve continental, de las zonas sísmicas y volcánicas, y los procesos erosivos.

Comencemos

Las llanuras, las montañas y los volcanes, como el Vesubio, forman parte del relieve de un lugar y lo hacen característico. Comenta con un compañero otras formas de relieve que recuerden.

El lugar donde vives también tiene una forma de relieve muy particular, que puede tener una superficie más o menos inclinada y estar a nivel del mar o a mayor altitud.

Comenta con tus compañeros: ¿cómo es el relieve del lugar donde viven? ¿Es montañoso o está sobre una planicie? ¿Existen volcanes que hayan hecho erupción como el Vesubio? Si es así, comenten sus nombres y la forma como consideran que la erupción modificó el paisaje.

Actividad

Consulta la página 24 de tu *Atlas de Geografía Universal* y escribe en tu cuaderno las características de los principales tipos de relieve: montañas, mesetas, llanuras y depresiones.

Observa las siguientes imágenes; primero, identifica en ellas el tipo de relieve de acuerdo con las características que anotaste, después, escribe en la línea el nombre del relieve.

Elige el tipo de relieve en donde te gustaría vivir y describe en tu cuaderno cómo sería ese lugar, ilústralo con un dibujo.

El suelo que pisamos

El relieve y la localización de una zona o región influyen en el clima, la vegetación, la fauna y, por lo tanto, en el tipo de región natural. El relieve puede ser continental u oceánico. El primero se conforma por montañas, mesetas, llanuras y depresiones.

Procesos internos: ocurren al interior de la Tierra debido al movimiento de las placas tectónicas que originan volcanes y ocasionan sismos o temblores.

Procesos externos que lo modelan: la erosión, es decir, el desgaste del relieve por el agua y el viento, principalmente.

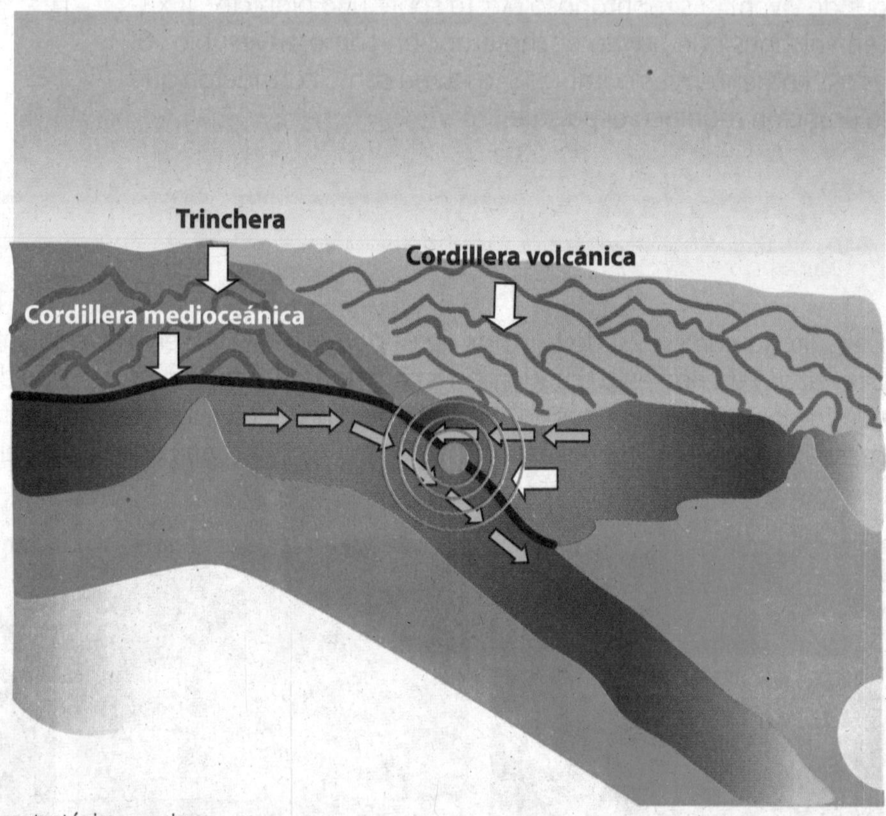

◆ El movimiento de las placas tectónicas ocasiona fracturas en la corteza terrestre y salida de magma.
Fuente: www.guerreroseguro.gob.mx

Una corteza quebradiza

Los continentes y los océanos son parte de la superficie terrestre que está formada por placas tectónicas: enormes bloques rígidos de la corteza terrestre. Flotan sobre el material fundido del manto y sus movimientos son los causantes de los sismos o temblores, y de la formación de montañas y volcanes.

Exploremos

Observa el mapa de placas tectónicas de la página 21 del *Atlas de Geografía Universal*, e identifica sobre cuáles se ubica México. Anota las respuestas de las siguientes preguntas en tu cuaderno.

- ¿Qué océano se asienta sobre la placa tectónica que lleva su nombre?
- Elige dos placas tectónicas e identifica los continentes que hay sobre éstas.
- ¿Qué océanos se localizan en las placas que elegiste?

Movimientos de las placas tectónicas

Las placas tectónicas tienen tres movimientos:

De contacto. Ocurre cuando se presionan las placas tectónicas, lo que ocasiona zonas volcánicas y cordilleras, por ejemplo, el Cinturón de Fuego del Pacífico y la cordillera del Himalaya. Localiza las placas en la página 21 de tu *Atlas de Geografía Universal*.

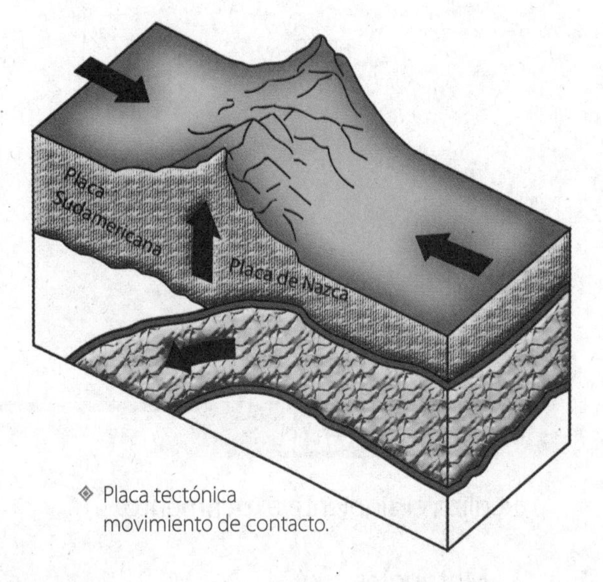

◈ Placa tectónica movimiento de contacto.

De separación. Ocurre cuando las placas tectónicas se desplazan y separan provocando la salida de magma (roca fundida) en los fondos oceánicos, renovándolos. También, originan cadenas montañosas llamadas dorsales oceánicas.

De deslizamiento. Ocurre cuando las placas tectónicas se deslizan de manera lateral en direcciones contrarias, como la falla de San Andrés, localizada entre Estados Unidos y México. Observa su imagen en la página 20 del *Atlas de Geografía Universal*.

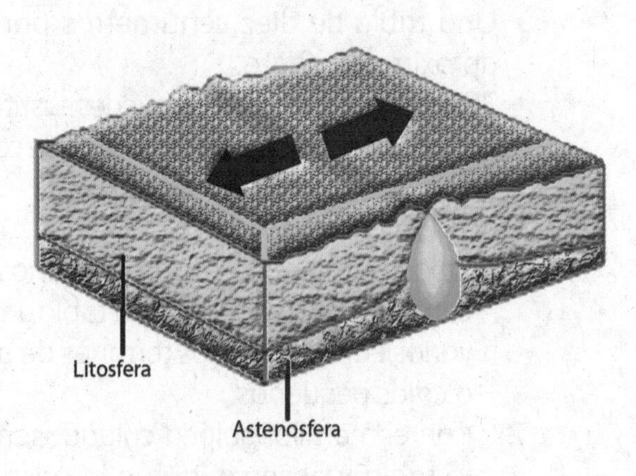

◈ Placa tectónica movimiento de separación.

◈ Placa tectónica, movimiento de deslizamiento.

Los sismos o temblores

> **Consulta en...**
> Para que tengan mayor información sobre el origen de los sismos, entren en HDT al recurso "Sismos: funcionamiento y origen". También podrán observar algunos videos. Comenten en grupo lo que les resultó más interesante.
> HDT

La superficie de la Tierra está formada por placas tectónicas que, cuando se mueven, modifican el relieve: originan montañas o favorecen la salida de material volcánico y, en ocasiones, provocan sismos o temblores. Los sismos son los movimientos vibratorios originados por la energía que se libera al chocar las placas tectónicas. El lugar donde se produce un sismo se llama foco o hipocentro y el punto arriba del foco, donde se manifiesta con mayor intensidad, es el epicentro. En el Cinturón de Fuego del Pacífico, ubicado al oeste de América y al este de Asia, se concentra una gran actividad sísmica. Localízalo en el mapa de la página 23 del *Atlas de Geografía Universal*. Observa que nuestro país se ubica en esta zona sísmica.

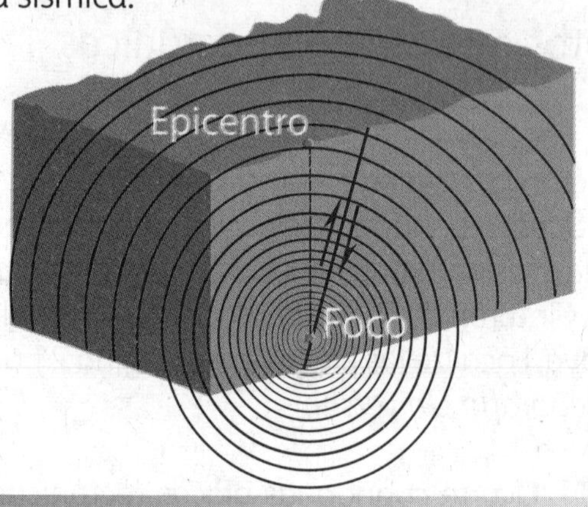

Actividad

Realiza el siguiente experimento.

Materiales
- Una mesa.
- Un martillo.
- Una tabla de diez centímetros por lado, aproximadamente.
- 30 terrones de azúcar (los puedes sustituir por cubos para jugar o cajas pequeñas de cartón).

Procedimiento
1. Coloca la tabla sobre la mesa. A unos cinco centímetros a un lado de la tabla, levanta varios edificios con los terrones de azúcar o cajas pequeñas.
2. Con el martillo, golpea cuidadosamente la tabla y observa lo que le pasa a las construcciones.
3. Vuelve a construir los edificios a la misma distancia y golpea la tabla, esta vez más fuerte.
4. Luego, construye los edificios y colócalos más lejos de la tabla, golpea primero despacio y después fuerte.

- ¿Qué sucedió con los edificios en cada caso?
- ¿Cómo influyeron las distancias entre la tabla y los edificios?
- ¿Cuándo se cayeron más edificios, cuándo estaban más cerca o lejos del golpe?

5. Anoten en su cuaderno las conclusiones e ilustren lo sucedido.

Los daños ocasionados por un sismo dependen de la intensidad y de la distancia del epicentro, la intensidad del sismo es mayor en los lugares más cercanos a éste.

Los volcanes

Las fracturas de la corteza terrestre, causadas por la presión entre las placas tectónicas, originan volcanes. La erupción de los volcanes expulsa hacia la superficie el magma y los gases acumulados en el interior de la Tierra. Los materiales arrojados se depositan alrededor del volcán y forman el cono o edificio volcánico. También se forman volcanes en los océanos y en algunas islas, por ejemplo, en Hawai y el archipiélago Benito Juárez (antes Revillagigedo), en el océano Pacífico.

La actividad volcánica tiene efectos destructores, sin embargo, también benéficos, ya que los suelos de origen volcánico, formados por cenizas, son fértiles y aptos para la agricultura. En ciertas áreas volcánicas existen depósitos de aguas termales, que resultan apropiadas para establecer centros turísticos o generar energía geotérmica.

Los sismos y la actividad volcánica son procesos que forman y modelan el relieve, lo que representa un riesgo para la población, por lo que debe estar preparada para prevenir los desastres y mitigar los efectos de esos fenómenos naturales.

◈ El volcán Santa Helena, en el oeste de Estados Unidos, hizo erupción repentinamente en 1980 y causó la muerte de cerca de 60 personas.

Actividad

Calca en plástico, mica o papel transparente, el mapa de la página 23 del *Atlas de Geografía Universal*. Coloca el mapa que calcaste sobre el de placas tectónicas, en la página 21 del mismo atlas. Observa las áreas sísmicas y volcánicas del mapa que calcaste, y los límites de las placas tectónicas. En tu cuaderno elabora un esquema que incorpore los siguientes aspectos:

- ¿Qué relación encuentras entre las zonas sísmicas y volcánicas respecto de las placas tectónicas?
- ¿Qué pasa cuando se mueven dos placas como la de Nazca y la Sudamericana?

La Tierra se desgasta

Durante miles de años, las formas del relieve se han desgastado debido a la erosión. La erosión es el modelado del relieve que, con el tiempo, transforma las montañas más altas en llanuras.

Consulta en...

La página 22 de tu *Atlas de Geografía Universal*, ahí encontrarás el "corte de un volcán en actividad"; o consulta en HDT el recurso "Volcanes: anatomía y funcionamiento", para que conozcas las características de los volcanes.

HDT

Los principales agentes de la erosión son el agua y el viento; el primero es el más erosivo. La lluvia, el granizo, la nieve y el viento modelan la superficie continental. El agua corre sobre las rocas, las disuelve, las rompe cuando se congela y las arrastra cuando se forma un río. Las olas también desgastan las costas formando bahías y acantilados. El viento arrastra, principalmente en zonas secas y desérticas, granos de arena que a lo largo de miles de años desgastan la superficie terrestre o forman montículos de arena llamados dunas.

Actividad

El relieve cambia debido a factores internos, como el vulcanismo, la sismicidad, y a agentes externos, como la erosión provocada por el agua y el viento.

Observa las siguientes imágenes y anota en las líneas el tipo de erosión que predomina: erosión por un río, erosión por oleaje o erosión por el viento.

____

____

____

Después, escribe un texto en tu cuaderno acerca de cómo cambia el relieve debido a la erosión provocada por el agua y el viento, e ilústralo.

Apliquemos lo aprendido

Organizados en equipo, realicen el siguiente experimento.

Materiales

- Un vaso de plástico o un tubo de papel de baño; si escoges el tubo, pégale a la base un plástico con cinta adhesiva para sellarlo.
- Cuatro cucharadas de bicarbonato.
- Media taza de vinagre.
- Una pizca de pintura vegetal roja.
- Una cartulina para hacer el modelo del volcán.
- Un cartón duro o un plato para pegar el modelo del volcán.
- Tijeras, cinta adhesiva, plastilina (opcional).

1

2

Procedimiento

1. Colorea o cubre con plastilina la cartulina, elabora un cono y pega sus lados para obtener una maqueta del volcán.
2. Córtale unos centímetros de la punta (este orificio será el cráter de tu volcán); calcula que en ese corte quepa verticalmente el tubo de papel de baño o el vaso.
3. Coincide la boca del vaso o el tubo con el cráter del volcán.
4. Con plastilina o cinta adhesiva, fija el modelo de volcán al cartón o al plato.
5. Dentro del vaso o tubo de papel, vierte cuatro cucharaditas de bicarbonato de sodio y la pizca de pintura vegetal. Muévelo hasta que se disuelva el bicarbonato.
6. Agrega, poco a poco, el vinagre ¡y listo!

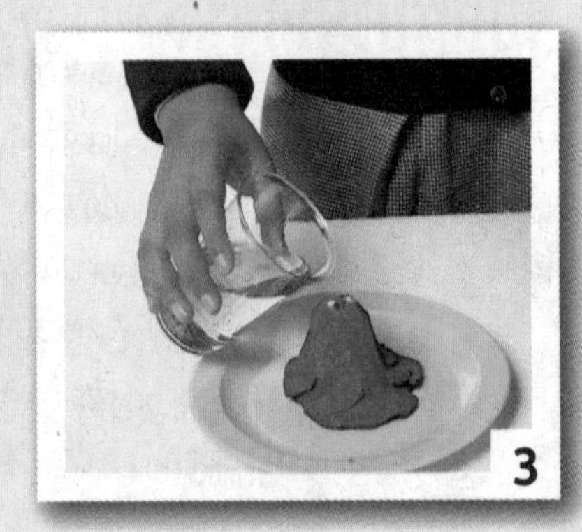

3

Describe en tu cuaderno lo que sucedió cuando se disolvieron el bicarbonato y el vinagre.

Anota qué relación encuentras entre el resultado de tu experimento y lo que sucede cuando un volcán hace erupción.

En grupo, comenten: ¿cómo se imaginan que afecta una erupción volcánica a la población?

Mar Aral, Asia

Hola, querida Sandra:

Te mando una foto del mar Aral, porque me llamó la atención su historia. Es un antiguo mar que se convirtió en lago al desplazarse los continentes y encerrar sus aguas en medio de lo que hoy es Asia. Actualmente está dividido en dos pequeños lagos, esto es impresionante porque según me contaron algunos habitantes, era uno de los cuatro lagos más grandes del mundo, pero su volumen disminuyó casi 70%, ya que los ríos que desembocan en él se han utilizado para riego, lo que provocó que su salinidad se triplicara, dañando la vida animal y vegetal de la zona, y obligando a los pescadores a cambiar de trabajo. Es una lástima, ¿no crees?, pero ya se están tomando medidas ambientales para recuperarlo.

Espero verte muy pronto, tu hermana Yuriria.

EL AGUA EN EL PLANETA DE LA VIDA

❖ Con el estudio de esta lección conocerás la distribución y disponibilidad de agua en el planeta, y reconocerás su importancia para la vida en general.

Comencemos

El clima, el relieve y las obras que realiza la sociedad, como las presas, el desvío de ríos para carreteras o riego, modifican la cantidad de agua disponible para la población.

En esta lección aprenderás cómo se distribuye el agua en todo el planeta y la importancia que tiene para la vida.

De acuerdo con la imagen y el texto de la postal, comenta con un compañero por qué este lago es importante para la vida natural y para la población de la región donde se localiza.

Actividad

Observa las imagenes de satélite y comenta con un compañero: ¿por qué se le llama a la Tierra el planeta azul? ¿Qué actividades se modificarían si no hubiera océanos?

En grupo, fórmense uno tras otro para simular el cauce de un río. Denle la forma que ustedes deseen. Tómense de los hombros y muévanse imitando el movimiento del agua, caminen y cuando cada uno pase frente al pizarrón, anoten un uso que le dan al agua. Cuando hayan pasado todos, observen el pizarrón y comenten acerca de cómo podríamos sobrevivir sin agua.

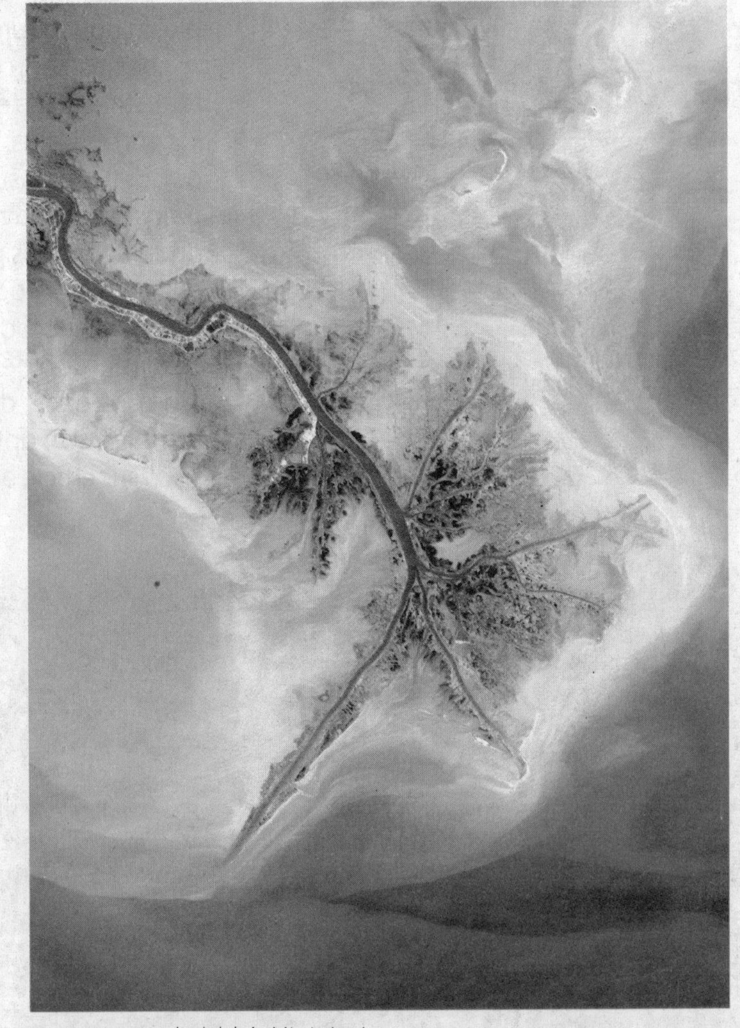

❖ Imagen satelital del río Mississippi.

Distribución del agua en el mundo

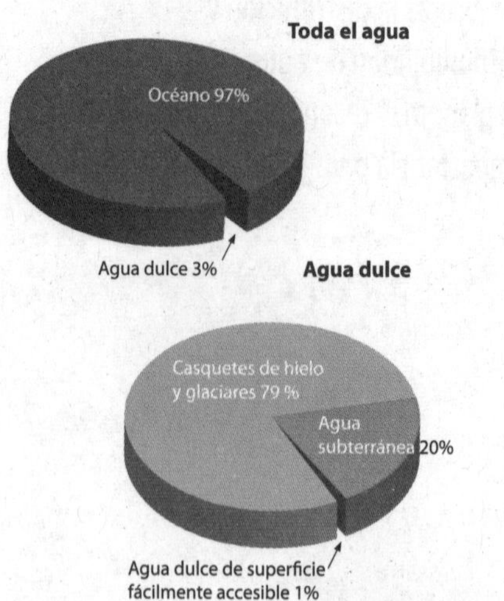

◈ Sólo 3% de toda el agua del mundo es agua dulce y más de tres cuartas partes de ésta es inaccesible, pues está en forma de hielo y glaciares situados en zonas polares. Sólo 1% es agua dulce superficial, disponible para los seres vivos.

Como viste en la imagen anterior, dos terceras partes de nuestro planeta están cubiertas de agua: los océanos; además hay agua al interior de los continentes en ríos, lagos, lagunas y aguas subterráneas que llenan los depósitos o mantos acuíferos.

En la Tierra hay cuatro grandes océanos: Pacífico, Atlántico, Índico y Ártico. Éstos representan aproximadamente 97 % del agua que hay en el planeta y proveen a la población con una gran diversidad de recursos naturales; sin embargo, por su alto contenido de sal, las personas, animales y la mayor parte de las plantas terrestres no podemos consumirla.

Recursos hídricos

Las aguas continentales representan cerca de 3 % del total de agua del planeta. Se les llama aguas dulces porque casi no contienen sales y, por lo tanto, son vitales para los seres humanos, las usamos para desempeñar actividades cotidianas y económicas, por ejemplo, la agricultura, la ganadería y el procesamiento de alimentos.

Los ríos son corrientes de agua que fluyen sobre la superficie terrestre; nacen en las partes altas de las montañas y escurren hacia las partes bajas. Muchos ríos, como el Amazonas, Bravo y Mississippi, depositan sus aguas en los océanos; otros, llegan a las partes bajas sin salida al mar y forman lagos. La población aprovecha el agua de los ríos para regar los campos de cultivo, generar energía eléctrica, navegar y pescar con fines industriales o domésticos.

A diferencia de los lagos, las lagunas son cuerpos de agua que se alimentan de los ríos y del mar, por esa razón tienen agua salobre, es decir, dulce y salada. Al igual que los lagos, las lagunas también son aptas para la pesca.

La superficie por donde corren los ríos absorbe y filtra agua hasta acumularse en depósitos en el interior de la tierra. Esos depósitos forman los mantos acuíferos que constituyen la fuente de abastecimiento de agua más importante para la población, en especial en zonas áridas.

◈ La presa Netzahualcóyotl o Malpaso, en Chiapas, se construyó sobre el cauce del río Grijalva. Sus aguas se usan principalmente para generar energía eléctrica.

Exploremos

En parejas, observen las tablas donde se muestran los ríos más largos, y los lagos y mares más grandes del mundo. Anoten el continente al que pertenecen los países que atraviesan desde su nacimiento y el océano al que desembocan.

También deberán anotar las principales ciudades que se localizan cerca de ellos. Consulten su *Atlas de Geografía Universal*, de las páginas 34 a la 39 y la 62.

Ríos	Continente	Países	Océano al que desemboca	Ciudades
Amazonas (6 800 km)				
Nilo (6 450 km)				
Yangzi (6 380 km)				
Mississippi - Missouri - Jefferson (6 270 km)				
Madeira - Mamoré (5 908 km)				
Amarillo o Huang He (5 464 km)				
Ob (5 400 km)				
Amur (4 410 km)				
Congo (4 380 km o 4 670 km)				
Lena (4 260 km)				

Lagos	Continente	Países	Ríos que desembocan	Ciudades
Superior (84 131 km^2)				
Hurón (59 500 km^2)				
Michigan (58 016 km^2)				
Victoria (69 482 km^2)				
Tanganyika (32 893 km^2)				
Baikal (31 500 km^2)				
Del Oso (31 153 km^2)				
Nyasa (29 504 km^2)				
Maracaibo (13 820 km^2)				

En grupo, comenten: ¿a qué océano llegan más ríos?

Un dato interesante

Aunque el lago Superior es el más extenso del mundo, el lago Baikal es el que tiene la mayor cantidad de agua, debido a su profundidad: su base está a 1 637 m y contiene el equivalente a 20% del agua dulce de todo el planeta, con su agua se podría inundar toda la tierra firme con una capa de 20 cm, y si sus afluentes dejarán de aportar agua, el lago tardaría más de 400 años en vaciarse completamente.

Los ríos y lagos han permitido que se desarrollen grandes civilizaciones que no tienen contacto directo con el océano. Por ejemplo, las primeras grandes urbes de la antigüedad: Babilonia, Nippur, Ur y Assur, que crecieron gracias a las aguas de los ríos Tigris y Éufrates en la región de Mesopotamia. Por supuesto, las grandes ciudades que se desarrollaron en las costas han tenido los beneficios de los ríos que desembocan al mar, además de las ventajas de aprovechar los recursos marinos, entre ellos, la posibilidad de navegar por el mundo.

Lago Michigan, Estados Unidos.

Río Mississippi, Estados Unidos.

Actividad

En parejas, observen el mapa de distribución de la población, en la página 62 de su *Atlas de Geografía Universal*. Cuenten el número de ciudades que tienen más de 5 millones de habitantes, anoten en su cuaderno cuáles de éstas no están ubicadas cerca de un río, un lago o en la costa. Después, comenten en grupo: ¿a qué se debe esa coincidencia entre ciudades más pobladas y cuerpos de agua?

ver anexo

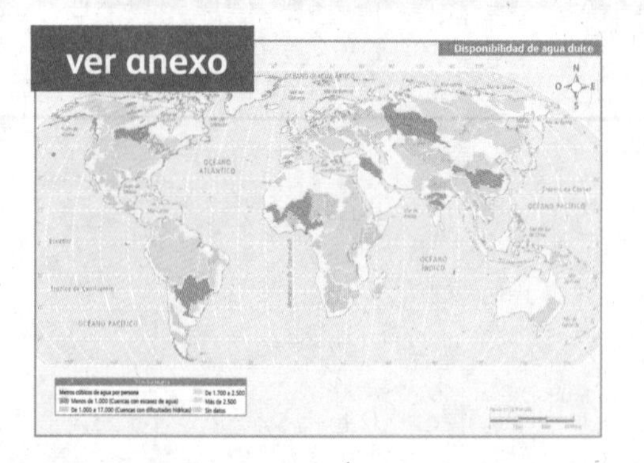

La poca cantidad y la mala distribución de agua dulce ocasionan problemas sociales y ambientales. Algunas enfermedades contagiosas se convierten en epidemias a causa de la mala calidad del agua o de la escasez de ésta. Incluso, existen conflictos bélicos por la posesión del recurso.

Formen equipos y elijan un continente. Observen el mapa de usos de agua en el mundo que está en el anexo página 186 y en su cuaderno anoten qué uso destaca en su continente o región continental.

Apliquemos lo aprendido

Con menos de 1% del agua de todo el planeta, debemos cubrir las necesidades que tenemos más de 6 500 millones de personas, contando el consumo para las actividades agrícolas e industriales.

Para saber cómo se distribuye ese 1%, reúnete con un compañero y observen el mapa del anexo, página 186 y lean las tres noticias siguientes.

página 1

EL PERIÓDICO

México, 2011

Las enfermedades por falta de agua simple potable ocasionan la muerte de 5 000 niños al día*

Las enfermedades derivadas de la falta de agua simple potable provocan cada año la muerte de dos millones de niños menores de cinco años, según el Fondo de Naciones Unidas para la Infancia (Unicef), que denuncia que la carencia de este recurso y la ausencia de infraestructuras que limpien el agua producen el 88% de las muertes por diarreas.

*http://www.consumer.es/web/es/solidaridad/2008/07/18/178599.php

La ONU advierte que la falta de agua creará graves problemas ambientales en los próximos 15 años*

Según el informe, elaborado por 1500 expertos, la agricultura es la cuestión más preocupante en lo que se refiere a la falta de agua dulce, ya que de aquí al 2020 se prevé un incremento de la pérdida de tierras cultivables, de la inseguridad alimentaria y de los daños en las zonas pesqueras, con la consiguiente expansión de la malnutrición y las enfermedades.

* http://www.lukor.com/not-soc/cuestiones/portada/06032135.htm

Falta de agua ocasionará problemas políticos

Como consecuencia de la escasez de agua, que se expresará como desertificación, habrá menos producción de alimentos, aumento de enfermedades infecciosas y destrucción de ecosistemas, por lo que comenzarán a surgir conflictos sociales y políticos a distinto nivel.

Dibujen un símbolo para cada problema y expliquen lo que se menciona en las tres notas.

Con ayuda de su mapa de la página 186, localicen las regiones, considerando las cuencas con dificultades hídricas y escasez de agua, que tendrán alguno de los problemas que se mencionan.

En grupo, sobre un planisferio grande pasen a dibujar o a pegar los símbolos de los problemas que eligieron, en los países que los enfrentan.

¿Ustedes qué hacen para cuidar el agua?

Querida Nallely:

Como lo prometí, te envío una postal más, ahora desde Vancouver, Canadá.

Es una bella ciudad rodeada de bosques. Su clima es frío y lluvioso todo el año, sin embargo, al llegar se sentía un agradable calor. Dejamos los sacos, pues el reporte del tiempo señalaba que la temperatura llegaría a los 28 grados, una temperatura extraña para el mes de septiembre en el que hace viento, frío y se cubren los bosques de hojas doradas y rojas por el otoño, parecía que estábamos en pleno verano.

Pero no nos importó, después del calor en Mérida fue agradable caminar entre maples y pinos, con ropa ligera.

Hasta mi próximo vuelo, tu tía que te quiere, Tania

LOS DIFERENTES CLIMAS DEL MUNDO

❖ Con el estudio de esta lección distinguirás cómo se encuentran distribuidos los climas en la Tierra, qué factores los modifican y su importancia para la vegetación, la fauna y las actividades humanas.

Comencemos

El estado del tiempo influye en tu vida todos los días: para que decidas si debes usar ropa ligera o suéter, o si debes salir con paraguas. Actualmente, es tan cambiante que es necesario conocer el pronóstico del tiempo a través de la radio o la televisión que lo reportan diariamente, y planear así tus actividades y la ropa adecuada, como hizo Tania.

En grupo, comenten: ¿cómo esperaba Tania que estuviera el estado del tiempo de Vancouver si su clima es frío con lluvias todo el año? ¿Por qué consideran que no coincide el estado del tiempo de un día con el clima de un mismo lugar?

Actividad

Formen equipos y comenten qué características tiene el tiempo atmosférico el día de hoy: ¿está frío, soleado, nublado o lluvioso? ¿Tuvieron que usar ropa diferente a la de todos los días?

Identifiquen en el libro de tercer grado de su entidad, el clima de la región en la que viven. Comenten y anoten en su cuaderno las diferencias que hay entre el estado del tiempo del día de hoy y el clima de la región.

❖ Imagenh satelital de la Conagua que auxilia a los meteorólogos con el pronóstico del tiempo.

Un dato interesante

Existen herramientas, como los satélites meteorológicos, que facilitan el pronóstico del tiempo. Se encuentran orbitando a la Tierra a bordo del satélite Aqua, de la NASA, con el que se puede ver el estado del tiempo desde arriba. Registra temperatura, nubosidad y cantidad de gases de efecto invernadero aun durante un día nublado. La información es utilizada para hacer pronósticos más detallados y hacer el seguimiento de eventos del clima, por ejemplo, los huracanes. Es esencial para los científicos que tratan de comprender nuestro clima y su condición cambiante.

Aprendamos más

El estado del tiempo es el resultado de las condiciones de la atmósfera en un momento determinado: la temperatura, la humedad y la precipitación. Sin embargo, a pesar de los cambios atmosféricos, hay ciertas regularidades ambientales que nos permiten determinar las características climáticas de cada región.

Actividad

Los siguientes paisajes corresponden a tres lugares que presentan diferencias y semejanzas. Consideren que las tres fotografías fueron tomadas 20 de agosto y que el estado del tiempo indicaba en los tres lugares: nuboso con temperatura máxima de 31° Celsius. ¿Estarías de acuerdo que tienen el mismo clima? ¿Por qué? ¿Qué elementos del paisaje te permiten reconocer el clima?

Anota en tu cuaderno lo que opinas de acuerdo con tus observaciones y coméntalas con tu grupo.

Parque Nacional Cahuitas, al este de Costa Rica.

Bosque de Indiana, Estdos Unidos.

Para conocer el clima de una región, es necesario registrar con aparatos como el termómetro y el pluviómetro, los elementos del tiempo atmosférico, como la temperatura, la velocidad del viento y la cantidad de lluvia. A diferencia del estado del tiempo, el clima es el resultado del promedio de esos elementos durante un periodo de tiempo muy largo, mínimo 10 años.

La clasificación de climas más utilizada, toma en cuenta principalmente dos de sus elementos: la temperatura y la precipitación, formando cinco grandes grupos climáticos: tropical, seco, templado, frío y polar. Compara el mapa de la página 58 con el esquema de la página 13, comprueba que coinciden en general con las zonas térmicas de la Tierra.

El clima es determinante en las características de la vegetación y la fauna de cada grupo climático. A continuación identifica la fauna y la vegetación características de los climas.

Janos, Parque Nacional, norte de Chihuahua, México.

◈ Alce, Alaska.

◈ Osos polares, Canadá.

Clasificación de los climas

Los climas tropicales, templados y fríos son húmedos, por lo que se combinan con las características de los diferentes tipos de lluvia (frecuencia y épocas en las que ocurren): todo el año, en verano o en invierno.

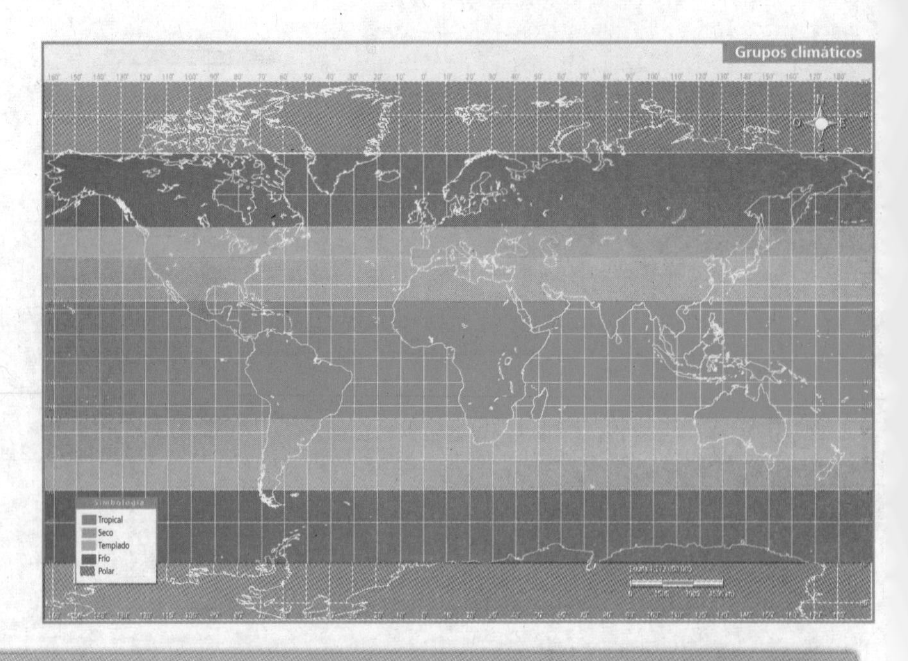

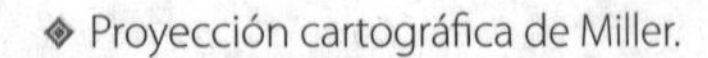
◆ Proyección cartográfica de Miller.

Climas polares. Se localizan en las latitudes altas, después de los círculos polares. La temperatura media del mes más cálido es menor a 10° C y poseen precipitaciones menores a 300 mm anuales.

Polar de tundra. Cercano a los círculos polares, con frío intenso y constante, ningún mes supera los 10° C. Precipitaciones escasas en forma de nieve, que disminuyen conforme se acerca a los polos.

Polar de hielos perpetuos. Frío intenso y constante con temperaturas de 0° o menos. Precipitaciones escasas en forma de nieve. En este clima ya no hay vegetación.

Polar de alta montaña. Se dan en las altas montañas, donde la altitud influye después de los 3 000 m. Se localiza alrededor del mundo en zonas de grandes cordilleras.

Climas tropicales. Se localizan en la zona cálida o tropical, desde los 0° hasta los trópicos de Cáncer y Capricornio. Presentan temperaturas elevadas y abundantes precipitaciones durante todo el año o en verano y parte de otoño.

Climas templados. Se distribuyen entre 30° y 45° de latitud norte y sur. Son favorables para la gente por sus temperaturas medias, superiores a los 10° C durante todo el año. Presentan una sucesión de las cuatro estaciones bien diferenciadas por las temperaturas y las precipitaciones.

Templado lluvioso. Carece de estación seca y sus temperaturas no presentan cambios bruscos por la influencia del mar.

Mediterráneo. Presenta veranos secos e inviernos lluviosos.

Climas fríos. Se localizan, de los 50° de latitud a los círculos polares, con inviernos rigurosos, donde la temperatura media del mes más frío es inferior a -3° C y la del mes más cálido, mayor a 10° C. Nieva uno o más meses del año.

Climas secos. Se localizan de los 25° a los 50° de latitud. En ellos, la evaporación es mayor a la precipitación.

Seco desértico. Predomina la aridez, casi nunca llueve y las temperaturas son variables todo el año. Clima extremoso de noches muy frías y en el día hasta 50° C.

Seco estepario. De veranos largos y cálidos e inviernos cortos. Nieva un poco.

Formen equipos y recorten los recuadros de la tabla que está en la página 197.

Los paisajes tienen sus recuadros en desorden, por lo que deberán colocarlos en los lugares que les corresponden.

El equipo más destacado, será el primero que termine de colocar sus recuadros en los lugares correctos. Para ello consulten su esquema de zonas térmicas y el mapa de climas de la página 43 de su *Atlas de Geografía Universal*, anoten el continente al que pertenece cada imagen y su latitud aproximada.

Factores que modifican el clima

En la distribución de las regiones climáticas de la Tierra intervienen diversos factores que ocasionan la variación de los climas, entre ellos están la latitud, la altitud y la cercanía al mar.

Las corrientes marinas, que son como ríos que corren en el mar con temperaturas más altas o más bajas, también modifican el clima, por ejemplo, la Corriente del Golfo. Esta corriente cálida se desplaza desde el Golfo de México hacia las islas Británicas y Dinamarca, lo que permite un agradable clima templado en países que, por su latitud, debieran tener clima frío.

El clima cambia también de un lugar a otro a causa del relieve y la altitud, por eso en las montañas y en las mesetas el clima es más frío que en las llanuras y valles; es posible observar nieve en la cima de las altas montañas y en regiones de clima tropical.

Los lugares próximos a las costas o a los lagos también modifican el clima, ya que proporcionan mayor humedad; en lugares secos y desérticos, se pueden encontrar plantas propias de otros climas, por ejemplo, en la región de clima seco de Coahuila, donde se encuentra Cuatro Ciénegas.

Actividad

Organizados en equipos, localicen en la página 43 de su *Atlas de Geografía Universal*, los tres lugares que se mencionan en el esquema siguiente. Anoten los climas de cada uno en el recuadro correspondiente.

Comparen su latitud, su cercanía a lagos o mares y el tipo de relieve que tienen. Comenten entre ustedes el factor del clima que influye más en cada uno de los lugares y completen los primeros cuadros en blanco del esquema.

Comparen sus esquemas y discutan sus diferencias.

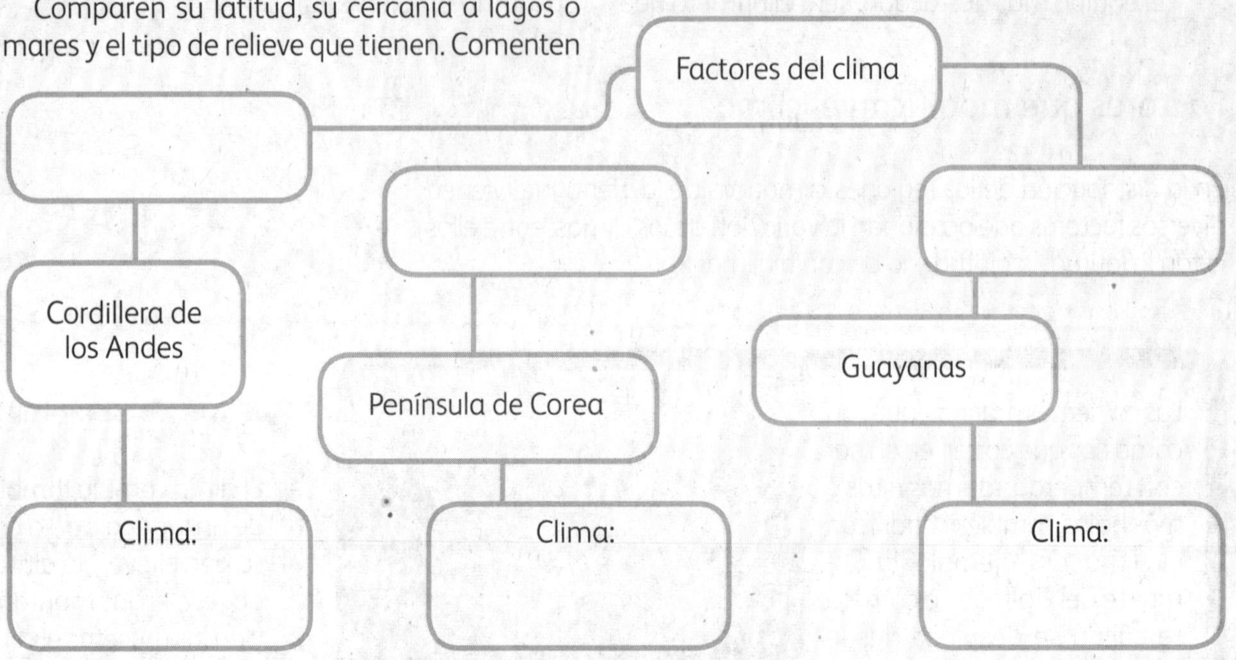

Apliquemos lo aprendido

Viaje a Manaos, Brasil, y a Toronto, Canadá

Formen cuatro o cinco equipos y dividan cada uno en dos. Una parte serán los viajantes y la otra, los meteorólogos.

Viajantes: decidirán cuál de los dos lugares quieren visitar y se encargarán de obtener información del mismo (vegetación, fauna y actividades económicas de la población) para la siguiente sesión. Formularán preguntas a los meteorólogos sobre lo que quieren saber con relación al clima y al pronóstico del tiempo de los días que estarán en el lugar elegido. Comparen la información obtenida con las características del lugar donde ustedes viven.

Meteorólogos: investigarán sobre el clima del lugar que van a visitar sus compañeros en las gráficas que están a continuación. También sobre el estado del tiempo del día que llegan y el pronóstico del tiempo de los tres días siguientes. Discutan sobre las fuentes que tienen que consultar (periódico, radio, página del estado del tiempo en Internet) para poder responder a las preguntas de sus compañeros de equipo.

Análisis de gráficas para la obtención del clima de Manaos y Toronto.

Para llevar sus registros sobre el estado del tiempo e identificar el clima de diferentes lugares, los meteorólogos elaboran tablas estadísticas y gráficas.

Las siguientes tablas corresponden a las estaciones meteorológicas de Manaos y Toronto.

- Analicen las gráficas de los lugares mencionados para que identifiquen el tipo de clima que presentan.
- Comparen sus resultados con la información del mapa de climas de su atlas.
- Al terminar, proporcionen la información a los viajantes y participen con ellos en el reporte final de su trabajo.

Cada equipo presente su trabajo a los compañeros y comenten en grupo lo siguiente: ¿cuál de los dos lugares consideran más adecuado para vivir y por qué? ¿Qué ventajas encuentran al vivir en el lugar donde están si lo comparan con los dos lugares visitados?

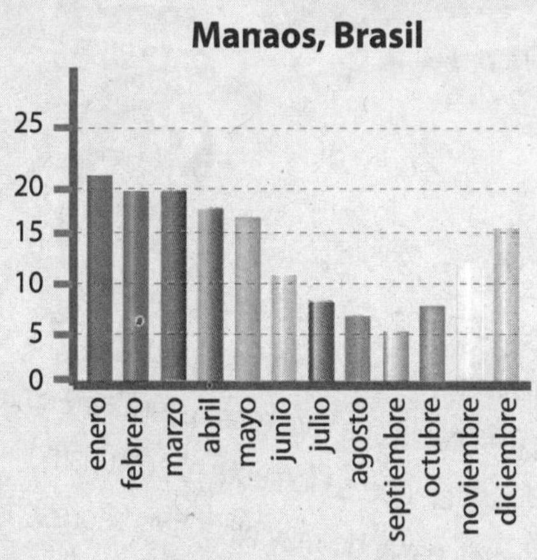

Días de lluvias por mes

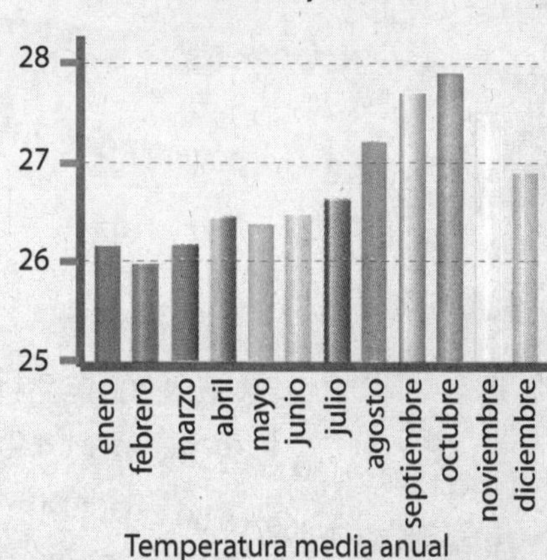

Temperatura media anual

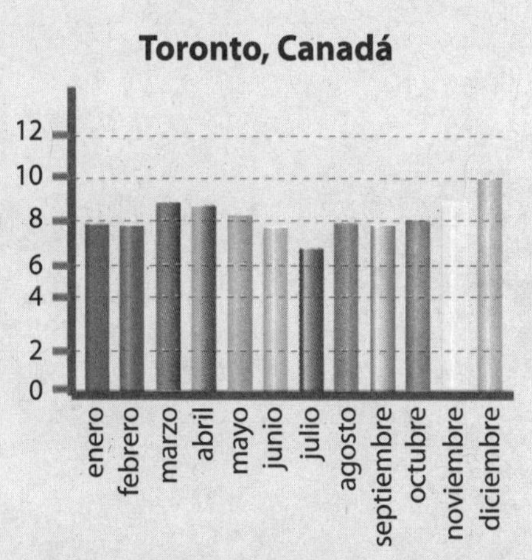

Días de lluvias por mes

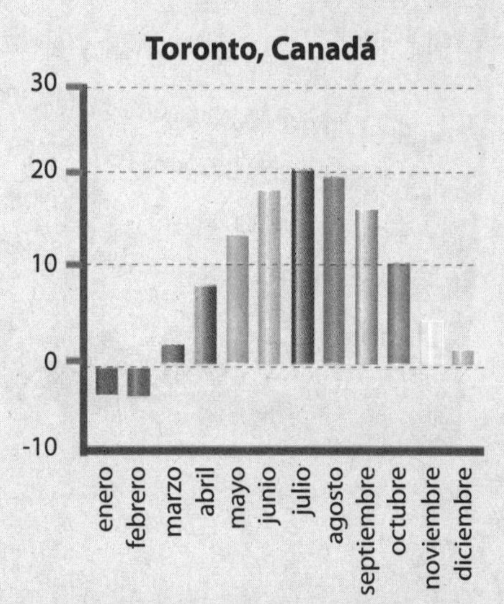

Temperatura media anual

San José de Costa Rica, noviembre de 2010.

Hola, Clarita, ¿cómo estás?
Amiga, te escribo desde esta hermosa
nación que es Costa Rica, leí que es el país
más verde del mundo. Estoy en el Parque
Nacional Corcovado, es un lugar maravilloso e
impresionante.

Hoy desayunamos gallo pinto (arroz y
frijoles) un platillo tradicional en el Caribe y
Centroamérica, y después recorrimos la costa
donde vimos guacamayas, cangrejos, pelícanos,
un oso hormiguero, capuchinos (monos) y
pájaros carpinteros, que son sólo algunos de
los animales de esta región. La población de
Costa Rica cuida sus recursos naturales y está
interesada en que se fomente el ecoturismo.

La estoy pasando muy bien, a mi regreso te
enseño las fotografías de las demás regiones
naturales, los paisajes son her-mo-sos.

Saludos,
Alejandra

LOS TESOROS NATURALES DEL PLANETA

❖ Con el estudio de esta lección reconocerás la distribución de las regiones y los recursos naturales de la Tierra.

Comencemos

Ahora vas a emprender un viaje por la naturaleza de nuestro planeta. En esta lección conocerás las regiones naturales del mundo y algunos de los recursos que más aprovechamos de ellas.

Localiza el país que visitó Alejandra en la página 54 de tu *Atlas de Geografía Universal*, después localízalo en la página 47. Reúnete con un compañero y respondan ¿Qué regiones naturales hay en ese país? ¿Cuáles coinciden con las de México?

En grupo, dibujen en el pizarrón los recursos naturales que podemos aprovechar en estas regiones.

Actividad

Observa las siguientes imágenes y contesta.

- ¿Qué plantas y animales observas en cada una de las imágenes?
- ¿En qué lugar consideras que se siente más calor?, ¿en cuál piensas que se siente frío?
- ¿Cuál consideras más apta para que habite el ser humano? ¿Por qué?

Comenta tus respuestas con tus compañeros.

Aprendamos más

Un dato interesante

Un cuarto de la tierra firme del planeta se encuentra en climas secos. Es tan escasa la lluvia en algunos lugares, que los suelos son áridos.

Las regiones naturales están asociadas a las condiciones climáticas de un lugar. Cada región agrupa especies animales y vegetales propias de un clima determinado, a esos grupos asociados de fauna y vegetación que habitan un ambiente con condiciones determinadas se les llama región natural. En los lugares de climas tropicales y húmedos hay un mayor número de especies animales y vegetales porque las condiciones de temperatura y humedad permanecen estables durante el año, en contraste con aquellos donde predominan los climas fríos, templados o secos.

Actividad

Lee el texto de las regiones naturales, localízalas y colorealas en el planisferio que está en el anexo, página 187. También puedes ayudarte con tu *Atlas de Geografía Universal*, en las páginas 47 a la 52, para identificar su distribución. Después, elabora su simbología.

Una vez que hayas hecho tu mapa, elabora dibujos sobre los recursos naturales que se obtienen de cada región natural y pégalos sobre el mapa, donde corresponde. Peguen los mapas en el salón y expongan su trabajo.

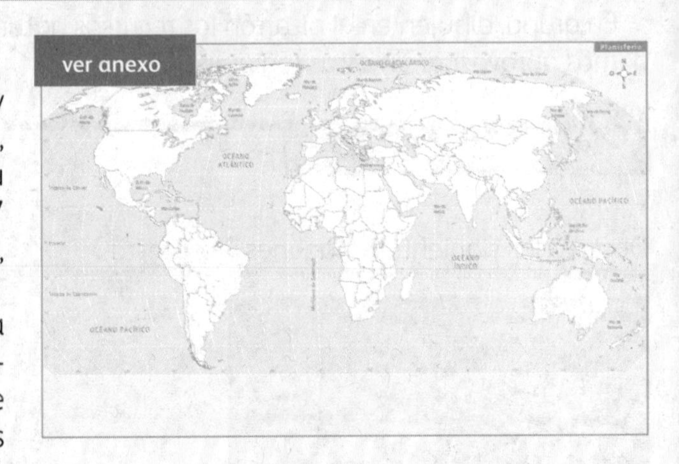

La madera es un recurso que se extrae de los bosques tropicales.

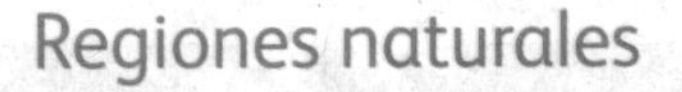

Regiones naturales

Regiones tropicales. Las regiones selváticas y de bosque tropical son las zonas más húmedas del planeta y se localizan en la franja de climas tropicales. También ahí corren los ríos más caudalosos del planeta, como el Amazonas y el Congo.

En esta región, los árboles son densos y altos, lo que no permite que la luz llegue al suelo, por lo que no hay pastos y hay varias especies de hongos. Su vegetación es de árboles como palo de rosa, caoba, cedro y plantas trepadoras.

La fauna de estas regiones se compone de animales como mono, ardilla voladora, mandril, serpientes anaconda, insectos, jaguar, tapir, pecarí, papagayo y quetzal, que se encuentran principalmente en la selvas de América. Estas regiones han sido alteradas por el ser humano al introducir plantaciones tropicales, como plátano, café, caucho, entre otras, así como al extraer maderas preciosas como la caoba, el cedro y el palo de rosa.

La sabana con clima tropical se ubica, principalmente, rodeando las áreas de selva, la más conocida es la africana, que ha sido sometida a un intenso saqueo y modificada por la agricultura, la ganadería y el crecimiento de los asentamientos humanos. La vegetación de esta región varía, aunque predominan árboles aislados y pequeños bosques. Su fauna está integrada por jirafas, cebras, antílopes, elefantes, hipopótamos, rinocerontes y búfalos.

Regiones secas. El desierto se localiza en los climas secos y debido a su extrema aridez no es del todo apto para el ser humano. En esta región se encuentran plantas cactáceas, que poseen hojas en forma de espinas que les permiten retener humedad, además de profundas raíces para buscar el agua subterránea; también se encuentran matorrales espinosos. En cuanto a la fauna encontramos animales como serpientes, escorpiones, roedores e insectos.

La jojoba es una planta que nace en las regiones desérticas y se utiliza en la medicina alternativa.

Las estepas se encuentran rodeando los desiertos, en éstas también predomina el clima seco. El matorral arbustivo favorece la ganadería por la existencia de pastos naturales, incluso en algunas áreas del centro de Asia como Kazajstán y Uzbekistán. Su fauna está formada por camellos, caballos salvajes, perros de la pradera, roedores, marmotas, ratas de campo, perdices y el avestruces.

Regiones templadas. Vegetación mediterránea de clima templado. Este tipo de región se localiza alrededor del mar Mediterráneo, en algunas partes de América del norte y del Sur, Sudáfrica y Australia. La vegetación es pino, encino, laurel y alcornoque. La fauna de la región está formada por osos, castores, lobos y ciervos.

La pradera también tiene clima templado con lluvias en verano, disponibilidad de ríos y suelos fértiles para la agricultura; ahí se han establecido grandes centros de población que han alterado el paisaje de esa región. La vegetación se caracteriza por hierbas y pastos. De las praderas de América del Sur son originarios los roedores y otros animales pequeños, como los armadillos, comadrejas, lagartijas y zorros. Entre las aves se encuentran ñandúes, perdices americanas, lechuzas y patos, las que viven en los árboles son cardenales y calandrias, entre otros. De esta región también son el puma y el venado de las pampas. Otros animales son el tejón americano y el coyote. En las praderas asiáticas se encuentra el antílope.

El bosque templado presenta lluvias abundantes. Su vegetación se forma, principalmente por encino, pino, oyamel, y ocote. Entre la fauna que lo caracteriza están el oso pardo, lobo, zorro, ciervo, aves canoras, castor y nutria.

Los plantíos de cebada crecen en las regiones templadas.

Consulta en...

Si tienes Internet, entra a http:// www.youtube.com/watch?v=AC5QXrWIbKI observa el video sobre regiones naturales y comenta su contenido en el salón con tus compañeros.

Regiones frías. Los bosques de coníferas o taiga pertenecen a los climas fríos, constituyen algunas de las reservas forestales más grandes del planeta. Se ubican al norte de América, Europa y Rusia. De los bosques de estas regiones se obtiene la celulosa, que es la materia prima para fabricar el papel. No están presentes en el hemisferio Sur porque allí prevalecen las aguas oceánicas, pero aparecen en el hemisferio norte, en las cordilleras y en las zonas boscosas que se caracterizan por cubrirse de nieve uno o más meses del año. La vida es dura para los animales en invierno, por lo que las aves emigran a lugares más cálidos, mientras que otros animales hibernan. Los animales de esta región son el oso pardo, lobo, zorro, visón, comadreja, reno, ciervo y alce.

◈ Las extensas hectáreas de bosques de coníferas son explotadas para conseguir maderas.

Regiones polares. La tundra pertenece a los climas polares, se observa más allá de los 70° de latitud y prácticamente existe sólo en el hemisferio norte. Es la región menos favorable para los asentamientos humanos porque el suelo permanece congelado durante seis meses y durante el resto del año sólo crecen líquenes, musgos y hierbas. Su fauna es alce, ganso, morsa, oso polar y buey almizclero. En esta región hay únicamente dos estaciones, una de invierno, que se prolonga por casi seis meses y prevalece la oscuridad, y otra de verano, en la que se mantienen las condiciones del día.

La región de alta montaña tiene también clima polar, conforme aumenta la altitud, disminuye la temperatura y aparecen zonas de nieve permanente. Los hielos perpetuos, por su parte, corresponden a los climas polares, la vegetación es prácticamente inexistente, pero está formada por líquenes, musgos y pequeños arbustos; la fauna sobrevive entre los hielos y las aguas del océano. Los animales que coexisten en esta región son focas y pingüinos, principalmente.

◈ Los ríos se alimentan del agua que cae de las montañas debido al deshielo.

Apliquemos lo aprendido

Con lo que aprendiste en esta lección, completa el siguiente mapa mental. Anota el nombre de la región natural correspondiente e ilústrala.

Vegetación
Árboles densos y altos, especies como palo de rosa, caoba cedro y plantas trepadoras

Fauna
Mono capuchino, ardilla voladora, mandril, serpientes, anaconda, insectos, jaguar, tapir, pecarí, papagayo y quetzal.

Países (selecciona tres por continente)

En América:
En Asia:
En África:

Clima
Tropical, presenta temperaturas elevadas y abundantes lluvias todo el año o en verano

¿Cómo ha alterado el ser humano estas regiones?

Al extraer maderas preciosas como la caoba, el cedro y el palo de rosa.

Al introducir plantaciones como plátano, café, caucho, entre otras.

Región natural: ______________________

Observa las siguientes imágenes y elabora en tu cuaderno un mapa mental sobre el bosque templado. No se te olvide incluir las actividades que se realizan en esta región.

Bosque templado, Inglaterra.

Bosque templado, Nueva Zelanda.

Ciervos en bosque templado.

Lo que aprendí

Lee las historias de Isabel y Susana, después realiza las actividades que se piden.

Isabel es una niña de 10 años que vive en Guambia, Colombia, es guambiana. Los martes, ella y su familia van al mercado que está en Silvia. Parten cargados de verduras y frutas, bien abrigados con sus ponchos de colores, que tejen ellos mismos.

Florentino, su papá, cultiva la tierra. La zona donde viven es montañosa, llueve mucho y las hortalizas son una maravilla. Los indios guambianos tejen mucho; su mamá, su hermana y ella hacen ponchos, bufandas y polleras (faldas gruesas que llevan los hombres y mujeres). La ropa abrigadora es muy importante porque están a 2 600 metros de altitud sobre el nivel del mar.

Susana es una niña de 4 años que vive en Kuopio, Finlandia, al norte de Europa; si observas de oeste a este un mapa de este continente, localizarás Noruega, Suecia, Finlandia y Rusia, más al norte sólo hay un océano de hielo. Finlandia es un país frío, los inviernos son largos, nieva de octubre a abril y las noches son extensas. Kuopio se encuentra en una región de lagos en el centro del país; en verano el paisaje es maravilloso, verde y azul, con torrentes, abetos y playas de arena. Susana tiene una cabaña en el bosque, entre pinos y nieve.

Completa la tabla con las características del lugar donde vive cada niña, después, contesta las preguntas.

	Relieve	Clima	Vegetación	Región natural
Isabel				
Susana				

Isabel vive en Colombia, cerca del ecuador, ¿por qué se siente tanto frío en su comunidad?

____

¿Cuáles son los cuerpos de agua que hay en cada lugar?

____

¿En cuál de las dos regiones hay condiciones naturales menos extremas?

____

____

Mis logros

Lee el texto acerca del Kilimanjaro y observa las imágenes de la vegetación de aquella montaña en África. Después, contesta las preguntas, elige la respuesta correcta y encierra en círculo el inciso correcto.

Un grupo de amigos está preparando una excursión para dentro de un año al monte Kilimanjaro, que se encuentra en la frontera entre Kenia y Tanzania, África. Si quieres ayudar, debes comenzar a informarte sobre el tema. Esta noticia te puede ayudar, además tiene imágenes de la vegetación y fauna del lugar.

página 1

EL PERIÓDICO

Washington (AP) - Lunes 2 de noviembre de 2009, 07:17 pm

Las famosas nieves del Kilimanjaro podrían desaparecer pronto*

Aproximadamente 85% del hielo que formaba los glaciares de la cima del Kilimanjaro en 1912, había desaparecido para el 2007, reportaron investigadores con base en fotografías tomadas en 1912 e imágenes de satélite recientes. Y más de una cuarta parte del hielo presente en el 2000, ya no estaba en el 2007.

Cambios similares están ocurriendo en el monte Kenia y en las montañas Rwenzori, en África, así como en glaciares en Sudamérica y en el Himalaya.

3

1

"El hecho de que tantos glaciares estén desapareciendo sugiere que hay una causa común, el incremento de las temperaturas de la Tierra cercanas a la superficie y en toda la troposfera, lo explicaría (las observaciones) al menos parcialmente".

* http://mx.news.yahoo.com/s/ap/091103/internacional/amn_cli_nieves_del_ kilimanjaro_1

2

1. El tipo de clima que encontrará el grupo de amigos en esas latitudes, es:
   a. Templado con lluvias todo el año.
   b. Frío con lluvias en invierno.
   c. Tropical con lluvias en verano.
   d. Seco desértico.

2. Otros exploradores que ascendieron al monte Kilimanjaro tomaron fotos desde la base hasta la punta, el orden de las fotos de la vegetación sería:
   a. 3, 2, 1
   b. 1, 3, 2
   c. 2, 1, 3
   d. 1, 2, 3

3. De acuerdo con las fotos anteriores del Kilimanjaro, dirías que lo que más influye en el tipo y distribución de la vegetación sobre él es:
   a. La longitud.
   b. El clima.
   c. La latitud.
   d. La altitud.

4. Al chocar las placas tectónicas, se producen:
   a. Sismos, zonas volcánicas y cordilleras.
   b. Agrietamientos de las rocas por los cambios de temperatura.
   c. Formaciones de nuevo fondo oceánico.
   d. Montañas en las dorsales oceánicas.

5. Muchas de las ciudades más pobladas del mundo coinciden con:
   a. Latitudes bajas, cercanas al Ecuador.
   b. Grandes planicies.
   c. La distribución de ríos, lagos o costas.
   d. Las zonas de recursos mineros.

6. Los climas que siguen una distribución latitudinal, se ven modificados por:
   a. La humedad del aire.
   b. La cantidad de calor o frío acumulados durante 10 años.
   c. La cantidad de lluvia que cae en distintos meses del año.
   d. Los vientos, el relieve y la distancia de cuerpos de agua.

Autoevaluación

Es tiempo de que evalúes lo que has aprendido en este bloque. Lee cada enunciado y marca con una palomita (✓) el nivel que hayas alcanzado.

Aspectos a evaluar	Lo hago bien	Lo hago con dificultad	Necesito ayuda para hacerlo
Describo la distribución de las formas del relieve mediante mapas y otros modelos.			
Identifico en diferentes tipos de esquemas y mapas la distribución del agua en la Tierra.			
Reconozco la diversidad de climas a partir de la variación de sus elementos y lo registro en tablas.			
Establezco relaciones entre elementos naturales: el clima, el relieve y la vegetación, mediante la sobreposición de mapas.			

Escribe una situación en la que apliques lo que aprendiste, hiciste e investigaste en este bloque.

___

___

___

Aspectos a evaluar	Siempre	Lo hago a veces	Difícilmente lo hago
Reflexiono acerca de la importancia de los fenómenos sísmicos y volcánicos que nos afectan.			
Valoro la importancia del agua y su disponibilidad para la vida en la Tierra.			
Reconozco la importancia de los recursos naturales para las actividades humanas.			

Me propongo mejorar en: ___

Hisamitsu
サロンパス
SUPER LISA SHIBUYA
BOSE
大盛堂書店
歩きタバコ禁止
STARBUCKS COFFEE
TSUTAYA

BLOQUE III

Población mundial

Tokio es una de las ciudades más pobladas de Asia.

Mi querida Joana, te envío esta postal de la ciudad de Tokio. Probablemente te impresione la cantidad de gente, como me pasó a mí al caminar por sus calles. Aquí sería imposible que pudieras salir con la bicicleta y recorrer las veredas y jardines como acostumbras hacerlo en casa.

Aunque es interesante el bullicio de las grandes ciudades como Tokio, ya extraño la calma de nuestra pacífica ciudad de Perth, Australia. Te mando un beso y un abrazo para ti y tu madre. Nos veremos pronto.

Las quiere como siempre, tu abuela.
Magos

PAÍSES MÁS Y MENOS POBLADOS

❖ Con el estudio de esta lección describirás cómo se encuentra distribuida la población mundial.

Comencemos

Como leíste en la tarjeta postal, la población está distribuida de manera desigual en el mundo. Observa la imagen de la postal que recibió Joana e identifica en las imágenes siguientes, la ciudad en donde vive. ¿Qué diferencias encontraste entre los dos lugares?

◈ El desierto de Meca, Arabia Saudita.

◈ Calcuta, India.

◈ Puerto de Perth, Australia.

◈ Las motocicletas son el transporte público más solicitado en el pueblo de Siam Reap, en Camboya.

◈ Escuela rarámuri en Chihuahua, México.

◈ Arquitectura de la ciudad de Djenné, ubicada en el delta interior de río Níger, en África.

Actividad

Con ayuda de los mapas del *Atlas de Geografía Universal*, páginas 54, 57 y 58, localiza los países que se mencionan al pie de las fotografías. Observa la distribución de su población en la página 62 del atlas y coméntalo con tus compañeros de grupo.

¿Cuáles consideras que sean las causas que influyen en la distribución de la población en los países que localizaste?

En el siglo pasado, el desarrollo tecnológico de la población mundial transformó la forma de vida. Disminuyó el interés por las actividades agropecuarias al aumentar la importancia de los sectores industriales y de servicios. Esta transformación se reflejó, entre otras cosas, en el crecimiento de la población que se quintuplicó en cien años y varió su distribución.

La distribución de la población en el mundo

Así como observaste diferencias en las características naturales de las regiones continentales, también existen importantes diferencias entre los continentes en cuanto a su densidad de población, por ejemplo, hay continentes con un mayor número de países sobrepoblados que países con escasa población.

Actualmente, la población absoluta o total del mundo, se calcula en 6 828 millones de habitantes, los cuales están distribuidos irregularmente y su crecimiento no sigue el mismo ritmo en las diversas regiones continentales.

Actividad

Formen equipos. Analicen la gráfica, obtengan sus conclusiones y contesten las preguntas:

Si la extensión del continente asiático representa una tercera parte de la extensión total de los continentes, ¿cuál debería ser el porcentaje de su población para estar en equilibrio?

____

¿Se puede afirmar que América es un continente poco poblado? ¿Por qué?

____

¿Cuál es el continente más sobrepoblado? ¿Por qué?

____

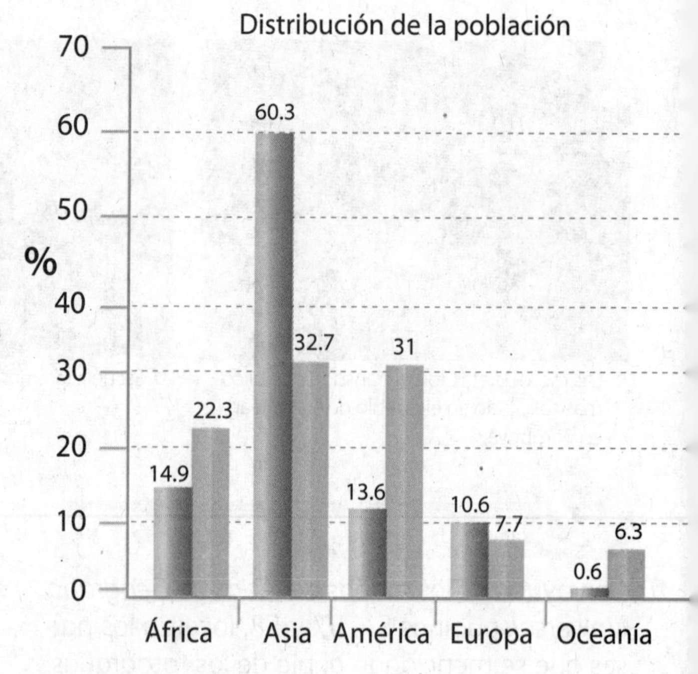

La distribución irregular de población que observaste en los continentes, también ocurre entre países, por ejemplo, Australia tiene apenas 21 millones de personas, en un país de siete y medio millones de km^2; en contraste, Indonesia, con menos de dos millones de km^2, sostiene una población de 232 millones de personas. De acuerdo con los datos registrados por el fondo de población de la ONU, en 2010 China es el país más poblado del mundo con 1 354 146 000 habitantes, le sigue India con 1 214 464 000 habitantes, lo cual significa que si se sumara la población de ambos países (sólo dos de casi doscientos) se reuniría una tercera parte del total mundial.

Estación del metro, Hong Kong, China en horas de gran afluencia.

Estación del metro, Vancouver, Canadá en horas de gran afluencia.

Actividad

Observa la gráfica de los países más poblados del mundo.

Con base en la información de la gráfica, asigna un color distinto a cada uno de los países más poblados del mundo. En el mapa de abajo, localiza los países y coloréalos.

Al terminar, ponle un nombre a tu mapa y compáralo con el de algún compañero para verificar que hayan localizado y coloreado los mismos países.

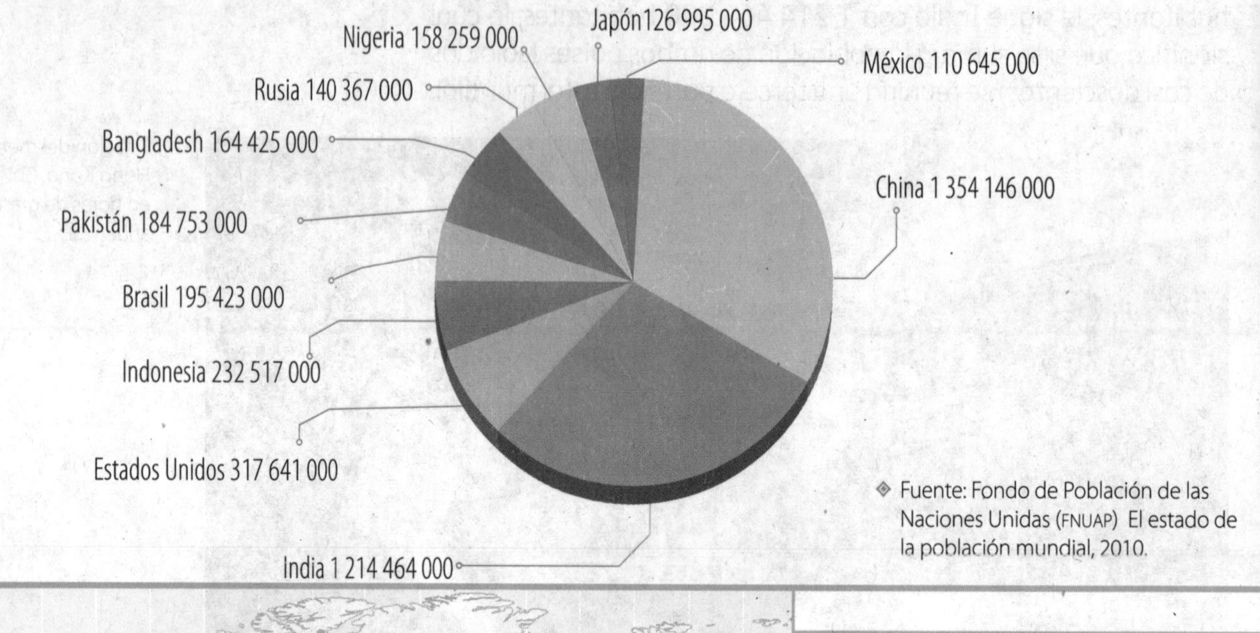

Fuente: Fondo de Población de las Naciones Unidas (FNUAP) El estado de la población mundial, 2010.

Reúnete con un compañero y contesten en sus cuadernos las siguientes preguntas.

- ¿En qué continente se localizan los dos países más poblados del mundo?
- En América, ¿cuáles son los países más poblados?
- ¿Qué lugar ocupa México entre los países más poblados del mundo?
- Relacionen la información de la gráfica con el mapa e indiquen si los países más poblados son los que cuentan con una mayor extensión.
- ¿Qué factores influyen para que la población viva o no, en determinadas regiones?

Entre los factores naturales que influyen en la decisión de vivir en cierto lugar, destacan el clima y la distribución de los recursos naturales. En los climas templados, por ejemplo, se desarrollan las concentraciones de la población; en contraste, en las regiones áridas, polares o con un relieve abrupto, no hay condiciones adecuadas para la vida, ni para el desarrollo de las actividades económicas y comerciales, de tal suerte permanecen casi deshabitadas. Por otra parte, la oferta de empleos y servicios, variados y avanzados, es un factor social que atrae a la poblalción.

Concentración y dispersión de la población en un territorio

Con la actividad anterior, identificaste cuáles países tienen más habitantes y cuáles menos, de acuerdo con el total de su población. Sin embargo, para saber si un continente o un país se encuentra sobrepoblado o no, necesitas conocer su densidad de población o población relativa; ésta se determina calculando cuántos habitantes hay por kilómetro cuadrado en un territorio.

Para ello hay que dividir el número de habitantes entre el área o superficie de su territorio, ya sea una entidad, país, región o continente.

Así, resulta que Asia tiene 118 habitantes por kilómetro cuadrado (hab/km²); Europa, 33 hab/km² y África, 28 hab/km².

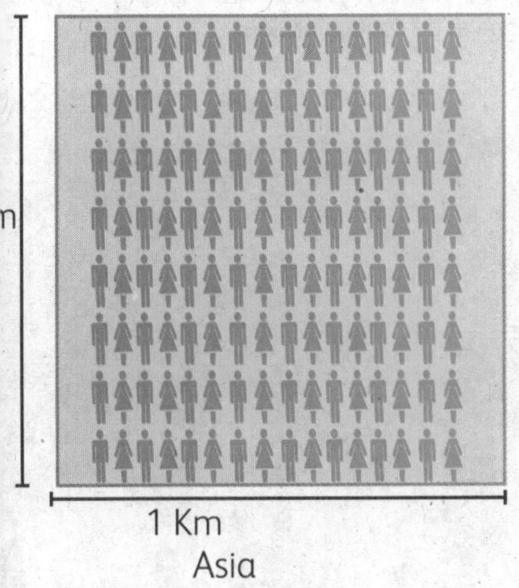

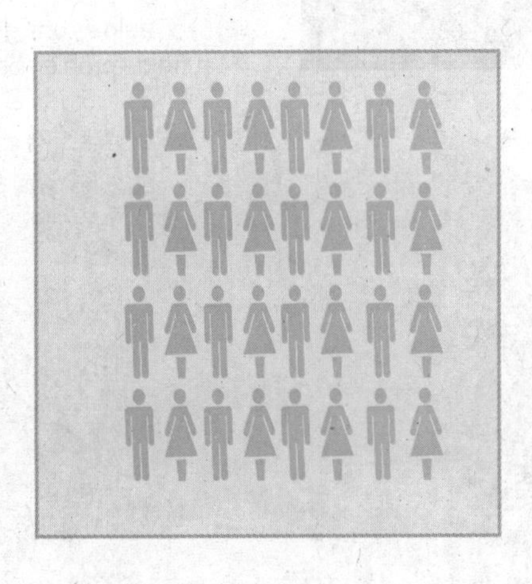

◈ La distribución de la población en el planeta es desigual: hay lugares muy poblados y otros casi deshabitados.

Los problemas de la concentración de población

Algunas ciudades densamente pobladas tienen dificultades para proporcionar a todos sus habitantes los servicios que requieren, como transporte, drenaje, electricidad y agua potable, lo cual se debe, entre otras razones, a que han crecido con gran rapidez porque reciben constantemente a personas que llegan del campo en busca de mejores oportunidades de trabajo. Cancún, en México; Calcuta, en India, y São Paulo, en Brasil, son ejemplos de ciudades receptoras de población.

◈ En esta fotografía, tomada desde el cerro de Santa Lucía, en la ciudad de Santiago, en Chile, se observa la nube de contaminación en el aire de esa ciudad.

◈ São Paulo es una de las ciudades más pobladas de Brasil y sufre de problemas graves de contaminación.

Apliquemos lo aprendido

En parejas completen la tabla siguiente, calculen la densidad de población de los países más poblados del planeta. Sólo tienen que dividir:

$$\frac{\text{La población absoluta}}{\text{La superficie de su territorio}} = \text{Densidad de la población}$$

Población absoluta (calculada a 2010) *

Países	Población absoluta (2005)	Superficie (km²)	Densidad de población (población relativa)
China	1 354 146 000	9 596 960	
India	1 214 464 000	3 287 590	
Estados Unidos	317 641 000	9 629 091	
Indonesia	232 517 000	1 919 440	
Brasil	195 423 000	8 511 965	
Pakistán	184 753 000	796 100	
Bangladesh	164 425 000	144 000	
Nigeria	158 259 000	923 770	
Rusia	140 367 000	17 075 200	
Japón	126 995 000	377 800	
México	110 645 000	1 972 550	
España	75 705 000	506 030	
Turquía	45 317 000	779 452	
Canadá	33 890 000	9 984 670	
Australia	21 512 000	7 692 030	

* Fondo de Población de las Naciones Unidas (FNUAP), *El estado de la población mundial 2010.*

Ahora, con la asesoría de tu maestro, formen un grupo de discusión para que argumenten acerca de si están o no de acuerdo con las siguientes afirmaciones:

- Si Estados Unidos tiene una superficie similar a la de Canadá, la densidad de población de ambos debe ser semejante.
- México es un país sobrepoblado, ya que tiene 53 hab/km².
- Si bien Canadá tiene una extensión semejante a la de China, su densidad de población es pequeña comparada con la de ese país.
- España y Turquía guardan una relación muy parecida entre su población y extensión, por eso tienen la misma densidad de población.
- Australia y Canadá son países con baja densidad de población y las causas principales son el clima y su extensión territorial.

São Paulo, Brasil

Queridos tíos:

Les mando esta postal de la ciudad de São Paulo, Brasil, en donde alguna vez vivieron. Me impresionó la gran cantidad de personas que pueden vivir en pocos metros cuadrados, en pisos sobre pisos y en edificios muy pegados, a pesar de esto también he conocido varias áreas verdes. Ahora entiendo por qué eligieron vivir en Colima, una ciudad chica con mucha menos gente y que también está cerca del mar.

Un abrazo. Katia

CIUDAD Y CAMPO

❖ Con el estudio de esta lección identificarás cómo la distribución de la población sobre un territorio crea concentraciones urbanas y espacios rurales con características distintas.

Comencemos

Ya sabes cómo se distribuye la población en los continentes, ahora podrás comprobar cómo esa distribución puede crear espacios muy distintos al interior de cada país, como los que se mencionan en la postal. El lugar donde vives, ¿en qué se parece o se diferencia de São Paulo? ¿Por qué consideras que hay tantos edificios en esa ciudad?

Actividad

Lee el siguiente fragmento del cuento "No la rueda sola", de Roberto Savino Asprino.*

La tarde caía hermosa, encendiendo de dorado los rincones más austeros de la casa. Tía Carlota se había acercado al balcón y su piel almendra parecía absorber la luz. Poco a poco las calles se vaciaban y por momentos se presentía un silencio inmenso, que pronto sería derrocado por el zumbido de las legiones de mosquitos.

Me asomé con cuidado al balcón. Mi madre caminaba rápido, aferrada a su cartera, y desde el piso siete se le veía aún lejos y pequeña, aunque estaba a menos de dos cuadras de la entrada de piedras grises del edificio. Tres minutos luego de perderse bajo un techo de acacias sonaba su voz en el pasillo.

No había visto a mamá desde la mañana de ayer. Ahora su mirada cansada, su olor a encierro de aire acondicionado, la sonrisa que sostuvo sólo por pocos segundos, me dieron la sensación de que no la veía desde hacía muchos años. La miré y recordé mis palabras al pedirle que me diera permiso de quedarme, que me gustaba estar allá, que me encantaban la leche tibia servida en los vasos de grueso vidrio verde, las galletas de vainilla y chocolate, bajar al patio a jugar futbol con Pedro y Marcelo, los del piso cinco. Le dije todo eso pateando con desgano el suelo, usando todas las artimañas que los hijos desfilan ante sus padres cuando se trata de conseguir y convencer. Aunque aquello no era mentira, tampoco era la verdad verdadera.

* Letralia, fuente de letras: http://www.letralia.com/132/letras01.htm

Dibuja en tu cuaderno el paisaje que se describe en el fragmento del cuento o escribe un relato similar al anterior que describa el lugar donde vives. Anota si consideras que el cuento habla de un espacio urbano o rural y subraya sobre el texto las frases que te ayudarán a decidir por qué.

Dentro del territorio nacional, la población se distribuye de manera desigual o heterogénea, lo mismo ocurre a escala continental y mundial. Hay ciudades superpobladas, como Tokio y la Ciudad de México, y lugares donde casi no hay gente, por ejemplo, el Sahara, al norte de África, o la región de Siberia, en Rusia.

Lo urbano y lo rural

En sus orígenes, la mayoría de los pueblos procuraron asentarse en regiones propicias para la agricultura, como los deltas de los ríos y cerca de las costas, donde predominan los suelos fértiles. Con el paso del tiempo, gracias a la sobreproducción agrícola, se desarrollaron otras actividades económicas, como el comercio y la industria, que paulatinamente llevaron a la población a concentrarse en áreas más reducidas.

Donde se concentra mayor población es en las ciudades, también llamadas urbes. Estos son espacios donde se ubica la mayoría de los servicios, tales como hospitales, escuelas, empleos o centros de entretenimiento.

Cada país toma características específicas para definir una ciudad, pero todos consideran el número de habitantes. En México, un poblado que concentra a más de 2 500 personas puede considerarse una localidad urbana, lo mismo ocurre en Estados Unidos, pero en países como España o Grecia, el mínimo de personas debe ser de 10 000, en cambio hay países, como Dinamarca, en los que una localidad urbana concentra apenas 250 personas.

Los espacios rurales, en cambio, concentran a mucha menos población, ya que las actividades como la agricultura o la ganadería, que se desarrollan en el campo, requieren más superficie, donde el aprovechamiento de los elementos naturales es directo.

La ciudad de Bagdad, en Iraq, fundada en las riberas del río Tigris, se convirtió en capital independiente de ese país en 1921. Actualmente tiene una población que supera los 6 millones de habitantes y es un importante centro cultural de la comunidad árabe de toda esa región.

Exploremos

Lee la siguiente nota que emitió la Organización de Naciones Unidas acerca de la población mundial.

página 10

EL PERIÓDICO

México, 2011

23 de mayo, el día en que la población mundial se volvió más urbana que rural *

Los cálculos han sido realizados a partir de estimaciones de las Naciones Unidas, que predicen que 51.3% de la población mundial será urbana para el año 2010. Los investigadores identificaron el 23 de mayo de 2007 como el día de la transición, basándose en los incrementos diarios de la población urbana y rural desde el año 2005 hasta el 2010. Ese día, según las previsiones teóricas, la población urbana global superó a la población rural por más de 25 mil personas.

* http://www.solociencia.com/antropologia/07062806.htm

Ahora compara la información del reporte con el mapa que está en el anexo, página 188.

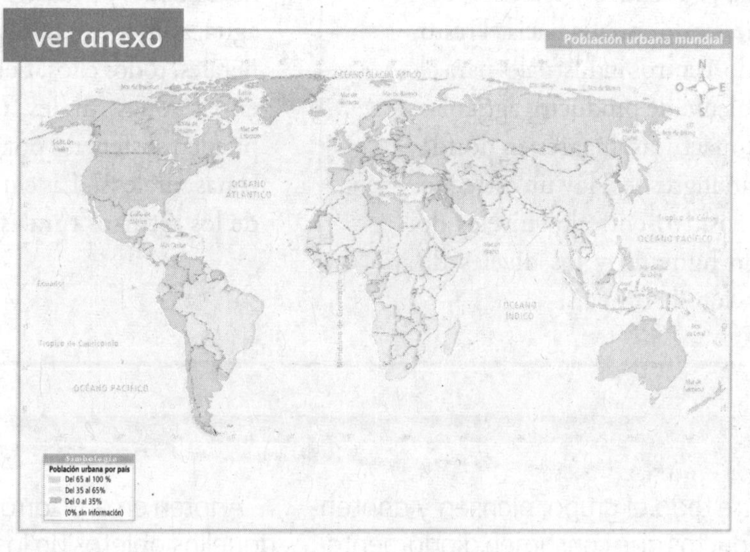

Reúnete con un compañero, comenten y anoten en el cuaderno los países que tienen mayor población rural. Pueden consultar los mapas de división política en su *Atlas de Geografía Universal*.

En grupo, comenten: ¿cuál es el continente más urbanizado? ¿A qué se debe que el mundo se urbanice cada vez más?

Diferencias y relaciones campo–ciudad

El número de habitantes no es lo único que distingue un espacio rural de uno urbano, también las actividades que realizan las personas, la cantidad y calidad de los servicios, la distribución de las construcciones y la forma de vida influyen en esta diferenciación.

Actividad

Organicen al grupo en dos equipos para realizar un debate. El primer equipo defenderá la idea de que las ciudades son más importantes que el campo y el segundo, la idea opuesta. Recuerden que no se trata de desacreditar las ideas del otro equipo, sino de defender su postura con argumentos, no con opiniones simples. Para recordar la dinámica y organización del debate, consulten su libro de Español, en el bloque III.

Lean las siguientes notas para que puedan defender su postura.

México, 2011 **página 12**

Las ciudades. Puntos de desarrollo

Las ciudades representan un papel importante, no sólo como proveedoras de empleo, vivienda y servicios, sino también como centros de desarrollo cultural, educativo y tecnológico, como puertas de entrada hacia el resto del mundo, centros industriales para el procesamiento de productos agrícolas y de manufacturas, lugares en donde se generan ingresos. Hay un estrecho vínculo positivo entre los niveles de desarrollo humano y los niveles de urbanización de un país.

Las comunidades rurales. Fuente de recursos

Mientras las ciudades existan, necesitarán de los recursos rurales, incluyendo a la gente de dichos espacios y a las comunidades que ayudan a satisfacer las necesidades de las urbes. Aire limpio, agua, alimentos, fibras, maderas y minerales, todos ellos, tienen sus orígenes en las zonas rurales. Las ciudades no pueden sostenerse por sí solas, pero las zonas rurales sí. Las ciudades dependen de los recursos rurales.

Luego, entre todo el grupo, piensen y anoten todos los productos que consumen diariamente, cuyos materiales básicos provienen del campo. También los servicios y productos que son creados o terminados en las ciudades como las computadoras, los teléfonos, los automóviles, la ropa, etcétera.

Anoten en el pizarrón ambas listas y subrayen aquellos objetos de los que podrían prescindir.

Comenten: ¿de qué manera se complementan el campo y la ciudad?

Apliquemos lo aprendido

Las ciudades y los espacios rurales son muy distintos, incluso entre países; por ejemplo, no tienen las mismas características una ciudad de Europa y una en Asia o África. Algunas de las condiciones que hacen los contrastes entre estos espacios son: el ambiente político, social y económico, las condiciones de salud de la población, de servicios y transporte público, el consumo de bienes, la escolaridad y la educación, la vivienda, el ambiente socio-cultural y las condiciones del ambiente natural. Cuanto mejor estén estos aspectos, mejores condiciones de vida tendrán los habitantes de un lugar.

Por equipos, elijan un continente. Revisen el mapa Distribución de la población, en la página 62 de su *Atlas de Geografía Universal* y hagan una lista de las principales ciudades del continente que seleccionaron (las que rebasen el millón de habitantes). Delante de cada ciudad anoten el país al que pertenece y destaquen aquellos países que tengan más de una ciudad con alta densidad demográfica.

Busquen imágenes y reportes, en noticiarios, de las ciudades de uno de los países más urbanizados de su continente. Pueden buscar en revistas, periódicos y enciclopedias, o consultar la página oficial de la ONU, en la división de población (http://www.unep.org) o en la revista *El estado de la población mundial*, que edita el Fondo de Población de las Naciones Unidas (Fnuap).

En grupo, comparen las imágenes y reportes de sus ciudades en cuanto a las condiciones de vida de la población y del cuidado del ambiente. Decidan cuáles de las ciudades que ustedes encontraron presentan los mayores contrastes y en qué aspectos.

Es de esperar que las condiciones de los campesinos también sean muy diferentes entre países no desarrollados y los que sí lo son.

Observa las siguientes imágenes y destaca las principales diferencias, luego anota en qué país del mundo ubicarías una y otra imagen.

Finalmente, comenten cómo influyen esas desigualdades en la movilidad de la población mundial.

Un dato interesante

Según el último reporte de una consultora internacional de recursos humanos, 19 de las 25 peores ciudades por su calidad de vida, se encuentran en África, aunque la peor, Bagdad, en Iraq, se ubica en Asia. En América la de menor calificación fue Bogotá, Colombia y en Europa, Moscú, Rusia.
Fuente:
http://www.mercer.com/referencecontent.htm?idContent=1173105]

En los países desarrollados, la tecnología auxilia el trabajo en el campo.

En los países en vías de desarrollo, el trabajo en el campo lo realiza un grupo amplio de personas.

Hola, tío Alejandro.

Esta ciudad es muy moderna y hay mucha gente, de hecho, es la tercera más poblada de Estados Unidos, casi una tercera parte somos latinos. Desde hace tiempo trabajo en un restaurante de comida italiana.

Salúdame a la familia.

Pepe

LA GENTE QUE VIENE Y VA

❖ Con el estudio de esta lección reconocerás las causas y efectos de la migración de la población en el mundo.

Comencemos

Así como Pepe, una gran cantidad de latinoamericanos deciden trasladarse a Estados Unidos para trabajar. ¿Conoces a alguien que haya migrado? ¿Por qué lo hizo? Coméntalo con tus compañeros.

En la primera lección de este bloque estudiaste cómo se distribuye la población en los países. Un factor que influye es la migración, es decir, el desplazamiento que realizan las personas cuando se van a vivir a otro lugar, ya sea por un tiempo o para siempre.

Actividad

Formen equipos. Observen la imagen anterior, e inventen una historia sobre alguna de las posibles situaciones. Escríbanla y léanla al resto del grupo. Después, contesten lo siguiente en su cuaderno.

¿Hubo sucesos semejantes en las historias que escribieron los participantes en otros equipos?, ¿cuáles?

¿Por qué razón consideras que los personajes emigraron de España a México?

En México, ¿hacia dónde emigran las personas?, ¿por qué?

Aprendamos más

Consulta en...
Para que conozcas más sobre el desplazamiento que realizan las personas. Entra en HDT y observa el video del recurso "Movimientos migratorios".

Al desplazamiento temporal o permanente de las personas, de un país a otro, de una ciudad a otra o de un pueblo a otro, se le llama migración.

La población abandona su lugar de origen por razones económicas, familiares, sociales o políticas.

No somos de aquí ni de allá

En la actualidad, la migración obedece principalmente a la necesidad de conseguir una mejor calidad de vida y un mayor bienestar. La migración implica dos procesos:

La *emigración* que es la acción de salir del lugar de origen	La *inmigración* que es la acción de llegar al lugar de destino
Cuando una persona sale de su lugar de origen se le llama *emigrante*	Cuando llega al lugar de destino, es *inmigrante*

Existen dos tipos de flujos migratorios.

La *migración externa*, que es el movimiento de personas entre distintos países

Muchos mexicanos trabajan en los campos de Estados Unidos.

la *migración interna*, es decir, el desplazamiento dentro de un mismo país

Algunos campesinos viajan a las ciudades con el fin de encontrar mejores ofertas de trabajo.

Refugiados cruzan la frontera en Somalia.

Inmigrantes centroamericanos.

Lee la siguiente nota:

La generación perdida 15-07-2009

Pavol Stracansky

En Europa oriental crece una "generación perdida" de niñas y niños vulnerables al crimen y a la explotación, abandonados por sus padres, ya que debieron emigrar al exterior en busca de empleo. Grupos que trabajan por la infancia señalaron que el mayor número de menores en estas condiciones se encuentra en los países más pobres de Europa oriental: Ucrania, Bulgaria, Moldavia y Rumania.

"Los gobiernos pueden ayudar mejorando la situación del mercado laboral y creando nuevas oportunidades. Pero primero que nada debe implementarse un sistema obligando a los padres emigrantes a que nombren a un encargado legal de sus hijos antes de irse", agregó.

En parejas, subrayen con un color, las principales causas de la emigración y con otro las consecuencias que se presentan tanto en los países que abandonan como en aquellos a donde llegan los migrantes.

Países expulsores y receptores de migrantes

Los países se pueden clasificar de acuerdo con su condición migratoria en expulsores y receptores. Las principales regiones expulsoras del mundo son el Sureste de Asia, África, Europa Oriental y América Latina. Las regiones receptoras de migrantes son Europa occidental, principalmente Francia, Reino Unido, Italia, España, Alemania y, en el continente americano, Estados Unidos.

De las corrientes migratorias que arriban a Europa las más numerosas provienen del norte de África y de Turquía. Por su parte, Estados Unidos atrae población prácticamente de todo el mundo, pero los principales flujos migratorios parten de América Latina y Asia. Se calcula que ese país ha recibido cerca de 20 millones de inmigrantes entre 1960 y 2000; de éstos, el principal flujo migratorio proviene de México (más de ocho millones), seguido por República Dominicana, Jamaica, Haití, El Salvador, Colombia, Perú, Guyana, Ecuador y Guatemala. La mayor parte de estos desplazamientos son ilegales y crecen año tras año. Los flujos de emigrantes asiáticos son originarios principalmente de China e India, y últimamente de otros países asiáticos, como Filipinas, Vietnam y Corea del Sur.

◈ En 2010, en varias ciudades de Estados Unidos, ocurrieron manifestaciones a favor de una reforma migratoria y por el rechazo de la llamada "Ley Arizona", que criminaliza a los inmigrantes indocumentados.

Existen algunas regiones receptoras menores: Brasil y Argentina, por ejemplo, que captan migrantes de países vecinos: Paraguay, Perú y Bolivia. Del mismo modo, Japón, Australia, Hong Kong, Singapur, República de Corea y Taiwán, reciben a trabajadores procedentes de Tailandia, Malasia, Sri Lanka, India y China. La República de Sudáfrica, por su parte, es un país receptor de habitantes de Mozambique y Lesoto, porque está más cerca de ellos y sus condiciones de vida son las mejores de la región.

Las naciones más desarrolladas del golfo Pérsico (Arabia Saudita, Kuwait y los Emiratos Árabes Unidos) reciben flujos migratorios de países menos desarrollados, como Egipto, India, Pakistán, Jordania, Yemen y Turquía, así como del sur y sureste asiáticos. En este caso, un elemento significativo de la migración es de carácter cultural, ya que esos pueblos se caracterizan por practicar la religión islámica y tener una lengua común.

Apliquemos lo aprendido

Organizados en equipos, analicen el mapa que está en el anexo, página189, en él se indican los países receptores de migrantes. Después, completen la siguiente tabla.

ver anexo

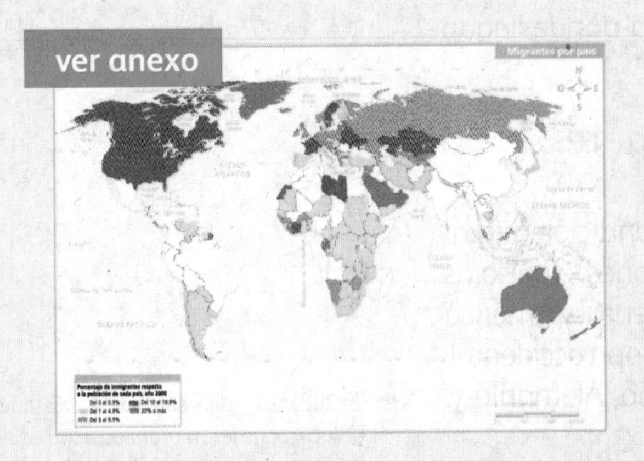

Países entre 5 y 19 % de inmigrantes	Países con 20 % o más de inmigrantes

Organícense en parejas para elaborar un mapa de flujos migratorios. Primero consigan un mapa planisferio, localicen Estados Unidos y píntenlo de color naranja; después, coloreen con verde los países expulsores de emigrantes hacia Estados Unidos. Identifícalos en el texto de la página anterior. Dibujen flechas desde los países expulsores hasta el receptor. Asignen un título a su mapa y contesten en su cuaderno: ¿de qué continente parten más migrantes rumbo a Estados Unidos?

◈ En Estados Unidos hay una gran concentración de población y comercios chinos.

Observa la gráfica en la que aparecen los principales países expulsores de migrantes y realiza las siguientes actividades:

Encierra el principal país expulsor de migrantes y responde, ¿cuál es la situación de México: es receptor o expulsor?

Localiza en el planisferio de la página 189 los países que aparecen en la gráfica.

En grupo, identifiquen con un color el principal país expulsor de migrantes y el continente donde existe un mayor número de países expulsores. Después, comenten, ¿cómo influyó la migración en la distribución de la población mundial?

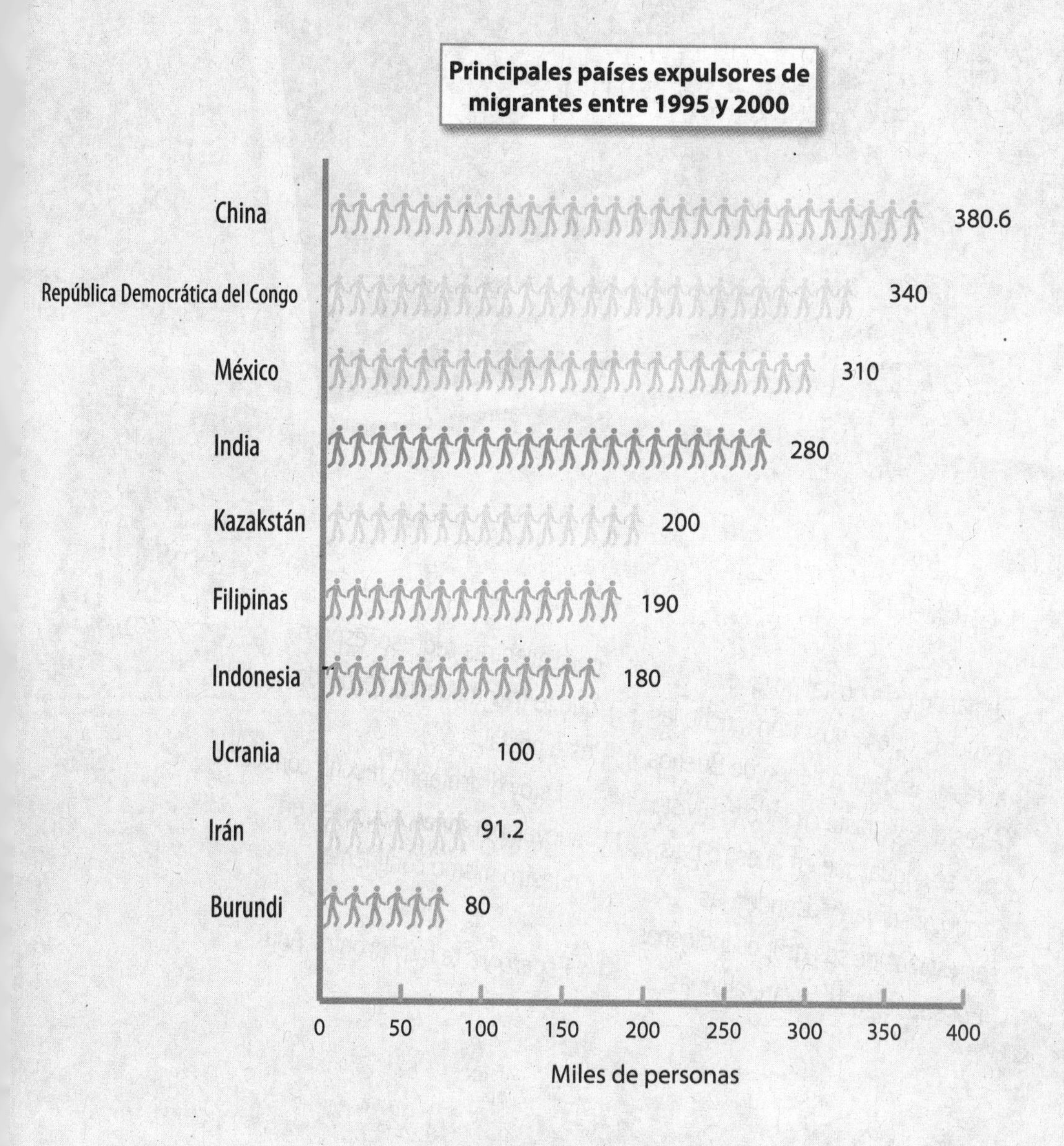

◆ Fuente: Información obtenida en el Reporte Internacional de Migración 2002,

* Información obtenida en el Reporte Internacional de Migración 2002, ONU, Nueva York, 2002.

Hola, Rafael.

Te mando esta postal porque recuerdo que te gustaron mucho las artesanías de una tienda de Buenos Aires que visitaste cuando estuviste por acá. Igual que en nuestro país, aquí conservan y difunden las artesanías de sus grupos indígenas. Por supuesto, te llevaré algunas; pero mientras regreso, espero que te traiga buenos recuerdos esta postal.

Estoy disfrutando mucho conocer nuevas personas y culturas en nuestro mismo continente.

Espero verte muy pronto. Ana

LAS CULTURAS QUE ENRIQUECEN EL MUNDO

❖ Con el estudio de esta lección reconocerás la importancia de la cultura y de la diversidad cultural que existen en el mundo.

Comencemos

Al igual que Ana, cada vez que mires con atención a tu alrededor, verás expresiones culturales de las personas que hay en el lugar donde vives o de otros lugares de México, como lo describió Ana de Argentina. En grupo, comenten qué artesanías les parece que representan mejor a México. Dibuja en tu cuaderno las que para ti son las más típicas y compáralas con las de la postal.

Actividad

Haz un dibujo, en el recuadro siguiente, de las artesanías que consideras que representan mejor a México. Compáralas con las de la postal.

Observa las fotografías de la siguiente página, fíjate en la vestimenta, en los rasgos físicos de las personas y en lo que están haciendo. Debajo de cada una escribe el continente donde consideras que pueden vivir.

Comenta con tu grupo: ¿cuáles piensan que son las causas de las diferencias entre las culturas del mundo?

Aprendamos más

El idioma que hablamos, la religión que practicamos, las expresiones artísticas, la manera de vestir y de celebrar las fiestas, entre muchos otros elementos, conforman la cultura.

Las costumbres son parte de la cultura y se transmiten de una generación a otra. Los padres, a través del ejemplo, enseñan a sus hijos la manera de vestir y de preparar los alimentos, así como algunas expresiones verbales y ciertos juegos que, con frecuencia, son propios de una región o país.

Las costumbres tienen una relación directa con los recursos disponibles en las regiones donde se desarrollan; por ejemplo, en las regiones calurosas, donde crecen las palmas, es común que los techos de las casas estén construidos con las ramas de estos árboles.

Por otro lado, las fiestas y las creencias forman parte de las tradiciones, pasan de generación en generación, por ejemplo, el festejo del Día de Muertos en México, que data de la época prehispánica. Muchas festividades tienen su origen en las prácticas religiosas y en las actividades económicas de la región, como la ganadería, agricultura y las labores artesanales.

Cabaña de un trabajador en los cafetales etíopes.

Un dato interesante

De acuerdo con una publicación del Instituto Lingüístico de Verano sobre las lenguas del mundo, los cinco países que presentan la mayor variedad de lenguas aún habladas son Papúa Nueva Guinea (830), Indonesia (719), Nigeria (514), India (438) y en quinto lugar están China y México (292 y 291, respectivamente). ¿Te puedes imaginar cuánta riqueza cultural hay en nuestro país? Y tú, ¿cuántas lenguas de las que se hablan en México conoces?

Fuente: M. Paul Lewis, editor. *Part of the Ethnologue*, 16 edición, SIL International, 2009 En: http://www.ethnologue.com/ethno_docs/distribution.asp?by=country

Altar de Día de Muertos, en la Ciudad de México. Las ofrendas de frutas y dulces son típicas del centro del país.

Actividad

Lee las cápsulas que hablan de rituales tradicionales que realizan algunos grupos étnicos y culturales en distintas partes del mundo.

El salto de los vanuatu*

Los vanuatu, en Oceanía, tienen un rito en el que, a los ocho años, los niños de la tribu tienen que demostrar su masculinidad saltando desde una torre de madera de por lo menos 30 m de altura. Con una cuerda atada a los tobillos, se lanzan al precipicio completamente desnudos. El objetivo es impresionar a los dioses y a las chicas. Sin embargo, para que los dioses queden suficientemente impresionados, la cabeza del saltador debe tocar el suelo.

El salto de las vacas de los hamar*

Entre las edades de 12 y 15 años, los chicos de la tribu etíope de los hamar tienen que pasar un rito de masculinidad en el cual deben saltar sobre una serie de vacas puestas lado a lado, por cuatro veces consecutivas, sin caerse. Si cometen el menor error, será imposible que consigan el respeto de los demás, una esposa o un lugar entre los pastores de la tribu.

La gran fiesta de la nueva vida*

En la región andina de América del Sur, cada 21 de diciembre, los grupos indígenas celebran el ritual del Kapak Raymi, festividad dedicada a la continuación de la vida que coincide con el solsticio de invierno. Según la tradición oral, los mayores engalanaban a las nuevas generaciones con obsequios; se trataba del traspaso del poder hacia los nuevos líderes de las comunidades. Dan a los recién nacidos prendas de vestir, los valores más preciados, los útiles y las herramientas más esenciales para que ellos sean los continuadores de su compromiso natural adquirido en la vida. Este acto de ofrenda involucra la participación de todos los integrantes de la comunidad.

* http://www.taringa.net/posts/imagenes/2271347/Los-5-rituales-mas-crueles-del-mundo!.html http://www.cronica.com.ec/index.php?option=com_content&view=article&id=8187:en-saraguro-vivencia-cultural-en-el-kapak-raymi&catid=34:locales&Itemid=56 http://hunnapuh.blogcindario.com/2006/12/01233-kapak-raymi-la-navidad-de-los-indigenas-americanos.html (Consultadas el 4 de febrero de 2010)

Localiza en tu atlas o en un planisferio los países donde habitan estas tribus.

Junto con un compañero, comenten si en su comunidad existen rituales que hayan pasado de generación en generación, anótenlos en su cuaderno e incluyan su significado, ilústrenlos con recortes o dibujos.

En grupo, muestren los dibujos de los rituales de su comunidad y expongan su significado. Después, comenten: ¿piensan que hay rituales en todo el mundo?, ¿por qué? ¿Qué importancia tienen esos rituales para la identidad de las personas que los integran?

La diversidad cultural del mundo

Desde sus orígenes, los grupos humanos se han desplazado hacia distintos puntos del planeta. Con el tiempo, los pueblos se mezclaron unos con otros, lo cual derivó en una gran variedad de rasgos físicos y culturales, como las religiones y las lenguas.

Las religiones son un componente cultural de las sociedades. La coexistencia de dos o más religiones en un mismo territorio es resultado, muchas veces, de las migraciones de grupos humanos que llevan consigo los rasgos culturales con los que más se identifican. Cada una de las religiones es tan valiosa y digna de respeto como las otras, aunque tengan visiones del mundo muy distintas.

El lenguaje y la religión son un componente fundamental de la cultura, con el que se expresan las ideas, se consigna la historia y se establece la comunicación entre los individuos de una misma comunidad y entre diferentes pueblos. Las migraciones también influyen en la diversidad de lenguas dentro de un mismo territorio y en la modificación de una misma lengua, por ejemplo, algunos mexicanos que viven en Estados Unidos han combinado el español y el inglés en un dialecto que los caracteriza como cholos.

Consulta en...

http://www.childrenslibrary.org/icdl/SearchWorld?ilang=Spanish, elige una región, y abrir los libros que se hacen y se leen en los países de esa región. Te recomendamos aquellos que hablan de tradiciones orales y cuentos que exponen la cultura de su población. También puedes consultar en la Biblioteca Escolar los libros:

Doherty, Gillian, *The Usborne book of people of the world*, México, SEP-Scholastic, 2003.

Fullá, Montserrat, *et al.*, *El jefe Seattle*, México, SEP-Vicens Vives, 2003.

Morales, Ernesto y Francisco Delgado, *Cuentos y leyendas de amor para niños*, México, SEP-CDCLI, 1992.

Fittipaldi, Cica, *La leyenda del guaraná*. Subida al cielo, México, SEP-Centro Editorial de América Latina, 1994.

El festejo del 15 de septiembre en Estados Unidos.

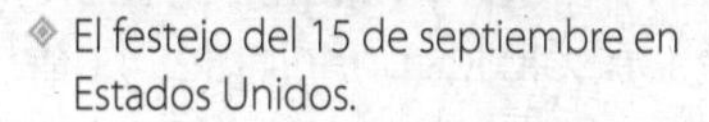

Templo Budista en India.

Exploremos

1. En parejas, observen la gráfica y tabla de religiones y lenguas en el *Atlas de Geografía Universal*, páginas 63 y 64.
2. Identifiquen cuáles son las lenguas y religiones más y menos practicadas.
3. Ordénenlas de mayor a menor en las tablas (primera y segunda columnas).

Religión	Porcentaje de practicantes	Distribución (por países o regiones)

Lengua	Número de hablantes	Distribución (por países o regiones)

4. Revisen los mapas de la distribución de las religiones y lenguas en el mundo (páginas 63 y 65 del atlas) para completar la tercera columna de las tablas.
5. En su cuaderno, anoten las lenguas y religiones que coincidan en su distribución territorial. Expliquen a qué consideran que se debe esa coincidencia.
6. En grupo, comenten: ¿coincide la religión más practicada con la más extendida?, ¿por qué? ¿La lengua más hablada es la más extendida en el mundo?, ¿por qué?

Recuerden que las lenguas y religiones representadas en su atlas son sólo las principales y que existen muchísimas variedades dentro de esos grupos religiosos o lingüísticos, incluso dentro de un mismo país.

Apliquemos lo aprendido

La diversidad cultural es un factor determinante en la composición de los pueblos y en sus relaciones. La riqueza de la cultura radica en su adaptación constante a la diversidad de recursos naturales y a los cambios ocurridos en los grupos sociales que le dan vida. Con frecuencia, en un país, una ciudad o una región, coexisten dos o más culturas y cada una aporta su riqueza al medio en que se desarrolla; por esa razón, es importante respetar y valorar las diferencias culturales de las personas.

Comida tradicional de Corea: carne tártara con huevo.

1. Organizados en equipo, seleccionarán un país por continente; recuerden los que incluyeron en sus tablas y los que se mencionan en la cápsula "Un dato interesante". Procuren que sean distintos de los que eligieron los otros equipos.
2. En el *Atlas de Geografía Universal*, investiguen la lengua y religión principales del país seleccionado.
3. Acudan a la biblioteca de su escuela e investiguen los grupos étnicos, fiestas principales, platillos típicos, música, vestimenta tradicional y actividades económicas de los países que seleccionaron. Revisen las sugerencias de la cápsula "Consulta en..." Ilustren cada aspecto.
4. Con la información, realicen una exposición de su trabajo. Si es posible, preparen algunos platillos típicos con la ayuda de un adulto o lleven música tradicional. Recuerden que en su clase de Educación Artística les han enseñado a reconocer diversos estilos musicales, a preparar una escenografía y a identificar los diseños corporales de algunas danzas. Usen esos conocimientos para enriquecer su exposición.
5. Con ayuda del maestro, organicen un debate sobre la importancia de respetar y conservar las tradiciones y las costumbres de las diferentes culturas del mundo. Expresen qué significado e importancia tienen para ustedes ciertas costumbres o tradiciones de su familia o comunidad y hablen sobre la importancia de expresiones culturales propias de los jóvenes actuales.
6. Al final, comenten qué pueden hacer para conservar la diversidad cultural del lugar donde viven.

Músicos callejeros en Sudáfrica.

Danza regional en Phnom Penh, Camboya.

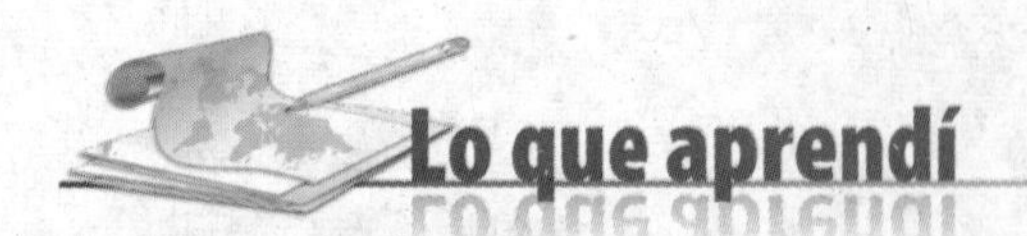

Lo que aprendí

Lee el texto y resuelve en tu cuaderno las cuestiones que se presentan. Recuerda que puedes revisar tus lecciones.

Un grupo de quinto grado realiza su ceremonia sobre el tema la población de Ghana, para ello encontró la siguiente información:

Ghana, al sur del Sahara*

Población (2006)	23 millones	Emigrantes (2005)	4.1%
Extensión	232 320 km2	Inmigrantes (2005)	7.6%
Población urbana	48.5%	Crecimiento poblacional por cada 100 hab.	2.2

* Banco Mundial, 2008.

La Familia

Cuando hablamos de familia, entendemos padre, madre e hijos; eso es lo que nos viene a la mente, no así al africano. Prácticamente en toda África existe lo que se conoce como familia extendida. La familia son los padres, los hijos, los hermanos e hijos de los hermanos, y los hijos del padre y de la madre. En la tribu donde yo vivo, en la lengua que hablamos, no existe la palabra tío porque un tío es un padre; no existe la palabra primo porque un primo es un hermano, y lo es en toda la regla. Un niño puede vivir con su madre natural pero también con la hermana de su madre, que también es su madre. Entonces, los niños no se quedan huérfanos. Cuando muere la madre o el padre o ambos, siempre hay una madre o un padre. Yo recuerdo: cuando llegué de nuevo a Ghana, murió la madre de un compañero maestro de mi comunidad y fuimos al entierro al pueblo. A los dos meses vino y dijo:

–Oye, que se ha muerto mi madre.

–Pero si se murió el mes pasado.

–No, la otra.

Es una concepción de familia completamente distinta. En Ghana hay más de 45 tribus y más de 45 lenguas. Si vas al norte tienen un matiz más discriminatorio con las mujeres; en la zona donde yo vivo no, porque es una tribu de carácter matrilineal. Esto significa que es la mujer la que da la herencia y es la mujer la que da al hijo la pertenencia al clan. Para nosotros es vital la pertenencia al clan; mucho más importante que lo que pueda ser para otros el apellido que desparece con la madre y se perpetua con el padre. En nuestro caso, el clan tiene mucha más importancia porque tiene muchas connotaciones sociales, en fin, muchas historias, y eso lo da la madre, no el padre. Entonces, la gente quiere tener niñas, no niños.

Imagina que formas parte de este grupo de quinto grado. Con la información obtenida, resuelve las siguientes situaciones que se te presentan para preparar la ceremonia escolar.

- ¿Qué datos requieres para mostrar si Ghana es un país sobrepoblado? ¿Cómo realizarías la presentación?
- ¿Qué tipo de población predomina en Ghana? De acuerdo con lo que aprendiste en la lección sobre espacios urbanos y rurales, ¿qué información estimas importante mostrar en la ceremonia?
- Las características sobre migración de Ghana coinciden con las de la mayor parte de los países de África al sur del Sahara. ¿Qué es importante desarrollar acerca de la población migrante?
- Tomando en cuenta lo que analizaste sobre rasgos culturales de las poblaciones, ¿en qué material encuentras la información sobre la religión y el idioma que más se habla en los países africanos y particularmente en Ghana?
- ¿Qué rasgos culturales seleccionarías del material investigado para tu presentación? ¿Qué otros elementos característicos de su cultura que no están en el texto anterior te interesaría mostrar?

Mis logros

Lee el texto y contesta las preguntas. Elige la respuesta que consideres correcta y encierra en círculo el inciso que corresponde.

Japón ha visto descender su población en 2005 por primera vez en su historia. Se trata de la segunda potencia económica, que con 127 millones de habitantes es la décima en población.

Las estadísticas japonesas muestran que su país tendrá menos de 100 millones de habitantes en 2050 y menos de 50 millones en 2100. Esto se debe al cambio de hábitos en una población bien alimentada y cuidada sanitariamente con la mayor esperanza de vida en el mundo: los hombres 77 años y las mujeres 84. Al descenso en los nacimientos se une un mayor envejecimiento de la población, con los consiguientes riesgos para cubrir puestos de trabajo, cotizaciones a la seguridad social y garantía de las pensiones.

Japón tiene una de una de las tasas más bajas de inmigrantes del mundo, 1.5 % de la población. Viven su aislamiento hacia dentro con un rechazo cultural a casarse con los pocos inmigrantes admitidos. Esta serie de factores hacen de Japón un caso extremo, y al mismo tiempo un precursor para otros países como Alemania, tercera potencia económica, e Italia que van por el mismo camino.

La cantidad de niños que nacen en África cada año es mucho mayor que la de cualquier otro continente.

Las familias japonesas tienen, usualmente, menos de cinco integrantes.

1. De acuerdo con el texto, ¿qué consecuencias trae la disminución de la población en Japón?
   a. Envejecimiento de la población, riesgos para cubrir puestos de trabajo, seguridad social y pensiones.
   b. Que una población bien cuidada y alimentada como la japonesa tenga problemas de salud.
   c. Problemas para dotar de servicios urbanos suficientes a la población en general.
   d. Un aumento en el número de migrantes en ese país que no se podrán casar con japoneses.

2. ¿A qué se debe que Japón tenga una de las tasas más bajas de inmigrantes en el mundo?
   a. A que cuentan con la mano de obra necesaria para cubrir sus sectores económicos.
   b. Debido al alto nivel de industrialización y tecnología que han desarrollado.
   c. A que viven aislados y no suelen casarse con los pocos inmigrantes que admiten.
   d. A la competitividad que existe entre ellos mismos por ocupar los puestos de trabajo.

3. Para saber si un continente o país se encuentra sobrepoblado es necesario conocer:
   a. La población absoluta.
   b. Las condiciones en que vive la población.
   c. La densidad de población.
   d. Dónde se concentra la población.

4. Es una característica que consideran todos los países para definir una ciudad.
   a. La extensión territorial.
   b. El número de servicios con que cuenta.
   c. La comparación con el campo.
   d. El número de habitantes.

5. El desplazamiento de ciudadanos latinoamericanos a Estados Unidos por cuestiones económicas es un ejemplo de:
   a. Migración externa.
   b. Migración interna.
   c. Desplazamiento necesario.
   d. Traslado necesario.

6. Son los idiomas que más hablantes tienen en el mundo.
   a. Francés, italiano y alemán.
   b. Chino mandarín, inglés y español.
   c. Ruso, portugués y árabe.
   d. Japonés, hindi y danés.

Autoevaluación

Es tiempo de que evalúes lo que has aprendido en este bloque. Lee cada enunciado y marca con una palomita (✓) el nivel que hayas alcanzado.

Aspectos a evaluar	Lo hago bien	Lo hago con dificultad	Necesito ayuda para hacerlo
Localizo países y ciudades más poblados y más densamente poblados en mapas mundiales y continentales.			
Distingo las características de un espacio rural en comparación con las de uno urbano.			
Represento en mapas países receptores y expulsores de migrantes.			
Analizo las causas que provocan la emigración a partir de información escrita y gráfica.			
Identifico en mapas mundiales la distribución de las principales lenguas y religiones en el mundo.			

Escribe una situación en la que apliques lo que aprendiste, hiciste e investigaste en este bloque.

____

____

Aspectos a evaluar	Siempre	Lo hago a veces	Difícilmente lo hago
Reflexiono sobre las consecuencias de la desigual distribución de la población.			
Reflexiono sobre los contrastes en las condiciones de vida del campo y la ciudad en países desarrollados y países pobres.			
Reflexiono sobre las consecuencias positivas y negativas de la emigración y la inmigración de población.			
Valoro la diversidad cultural del mundo.			

Me propongo mejorar en: ____

BLOQUE IV

Características socioeconómicas del mundo

La calidad de la educación es un aspecto importante para definir las condiciones sociales, culturales y económicas de un país.

Desierto de Arica, Chile

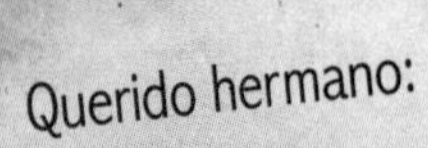

Querido hermano:

Te envío la postal del desierto de Arica, en Chile, para que compruebes lo que platicamos en Santiago, que con un poco de agua se puede convertir el desierto en un huerto. Espero que algún día se logren nuestros planes de convertir en campos de cereales y ganado, las tierras que heredamos y que hasta ahora parecen improductivas.

Recibe un fuerte abrazo.

Adolfo

LAS ACTIVIDADES PRIMARIAS

❖ Con el estudio de esta lección reconocerás las características y la importancia de las actividades primarias en el mundo.

Comencemos

Los campos de cereales y el ganado que menciona Adolfo en la postal, nos permiten satisfacer muchas de las necesidades humanas básicas, como la alimentación y el vestido. Para lograrlo, extraemos de la naturaleza elementos o materias primas vegetales, animales y minerales. Las actividades que se dedican a la extracción de estos recursos se conocen como actividades primarias.

¿Qué recursos naturales se aprovechan en las actividades que menciona Adolfo en la tarjeta postal?

❖ Pesca.

❖ Agricultura.

❖ Minería.

Actividad

En la siguiente tabla encontrarás un listado de términos. Escribe después de cada uno, tres palabras que consideres que se relacionen con él.

Intégrate a un equipo, comparte tu trabajo y argumenta tus anotaciones. Despues, escriban un texto retomando las palabras con las que relacionaron cada término. Comenten su texto con el grupo.

Término	Palabras relacionadas con él
Pesca	
Agricultura intensiva	
Actividad forestal	
Plantaciones comerciales	
Agricultura de temporal	
Actividades pecuarias	
Metales	

◈ Plantíos de café en Kenya.

Aprendamos más

En el sector primario se agrupan la agricultura, la ganadería, la explotación forestal, la pesca y la minería, así como todas las actividades donde se aprovechan los recursos naturales sin modificarlos, es decir, tal como se extraen de la naturaleza.

Actividades agropecuarias y factores naturales

Las actividades agropecuarias requieren de condiciones naturales apropiadas para desarrollarse, por ello su localización depende de las condiciones naturales de los espacios donde se practican. Los diversos cultivos y las diferentes crías de ganado se ven influidas por factores como el suelo, la altitud, el tipo de relieve y la hidrografía; pero principalmente por el clima. Todo vegetal y animal requiere de un medio adecuado para reproducirse; además, un medio propicio para uno puede no serlo para otro, lo cual ha originado la diversidad de regiones agrícolas y pecuarias.

Reflexionen en grupo: Lean nuevamente la postal, ¿podría realizar sus planes Adolfo de cultivar trigo en el desierto? Con el desarrollo tecnológico alcanzado, ¿es posible que se pueda cultivar el arroz y el trigo en una misma región natural?

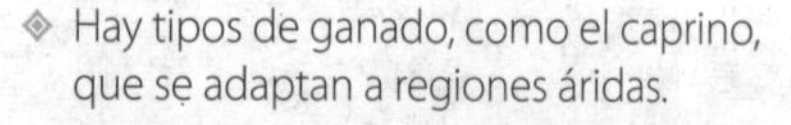

◈ Hay tipos de ganado, como el caprino, que se adaptan a regiones áridas.

◈ El trigo requiere de insolación constante cuando espiga, por ello los climas secos, como el estepario, son los más adecuados para cultivarlo. En contraste, el arroz necesita un clima tropical con lluvias abundantes en el verano, como el del norte de Vietnam.

◈ Hay tipos de ganado que se adaptan a regiones de clima templado y frío, como el vacuno, en Zaandam, Holanda.

Agricultura

De acuerdo con su tipo de abastecimiento de agua, la agricultura puede ser:

De temporal o extensiva
Depende de la temporada de lluvias, de manera que sólo es posible cosechar una vez al año.

De riego o intensiva
El agua llega a los cultivos por canales u otros sistemas de riego artificial, con lo que es posible obtener al menos dos cosechas al año.

Según su finalidad, la agricultura puede ser:

De subsistencia
Cubre las necesidades del agricultor y su familia.

Comercial
Utiliza maquinaria, semillas mejoradas, fertilizantes y complejos sistemas de riego; los productos de la cosecha están destinados a la venta. Estados Unidos y Europa practican principalmente este tipo de agricultura.

Exploremos

Consulta en la página 69 del *Atlas de Geografía Universal* las gráficas referentes a los principales países productores de cereales.

Dibuja un planisferio en una cartulina y asigna símbolos al arroz, al maíz y al trigo, pueden ser los que aparecen en la gráfica o unos que inventes.

Localiza los países de cada gráfica en tu mapa y dibuja sobre cada uno el símbolo que le corresponde.

Escribe un título al mapa y en un extremo registra la simbología que utilizaste.

Presenta y explica tu trabajo ante el grupo.

En grupo y con la orientación del maestro, respondan las siguientes preguntas en su cuaderno:

- ¿Qué país es el principal productor de estos cereales en el mundo y en qué continente se localiza?
- ¿Qué continente destaca en la producción de arroz?
- ¿Dónde se cultiva una mayor cantidad de maíz?
- ¿Qué continente es el principal productor de trigo?
- ¿México destaca en la producción de algún cereal?, ¿de cuál?

Actividad

Organizados en equipos, observen el mapa de la página 70 del *Atlas de Geografía Universal* y el de los principales productores de cereales que ustedes hicieron, y contesten lo siguiente:

¿Qué tipo de agricultura se practica en los países productores de cereal?

¿En qué países se localizan las plantaciones comerciales principalmente?

¿En qué países hay agricultura intensiva?

¿Qué tipos de agricultura se practican en México?

Con el mismo mapa, completen la tabla y anoten algunos países que corresponden a cada columna. Comenten sus resultados con los demás equipos.

Países con agricultura intensiva o de riego	Países con agricultura extensiva o de temporal	Países con plantación comercial

Hay países que han alcanzado niveles de desarrollo que les permiten cultivar no sólo para su subsistencia, sino también para comercializar, ya que han aprovechado los recursos naturales y tecnológicos de manera más productiva.

Ganadería y pesca

La ganadería puede ser:

Intensiva
A los animales se les proporcionan alimentos procesados y se les cría en establos acondicionados con la tecnología necesaria para aumentar la producción.

Extensiva
Se realiza en terrenos cuyas grandes dimensiones permiten que los animales encuentren pastos suficientes.

De autoconsumo
La practican las familias para satisfacer sus propias necesidades de leche, carne y huevos.

En cuanto a la pesca, el mar proporciona alrededor de 90% de la pesca mundial, mientras el porcentaje restante corresponde al agua dulce. Cada uno de los países que cuentan con fronteras marítimas dispone de una zona exclusiva de 200 millas náuticas (1 852 metros), desde la costa hacia mar adentro, para navegar y pescar. Fuera de ese límite, la pesca se considera libre, pues se hace en aguas internacionales.

Actividad

Consulta las gráficas de las páginas 70 y 71 del *Atlas de Geografía Universal*.

Asigna símbolos a la producción de carne y a la producción pesquera. Después, localiza los países de cada gráfica en el planisferio, con la simbología correspondiente. Escribe un título a éste y en un extremo registra la simbología que utilizaste.

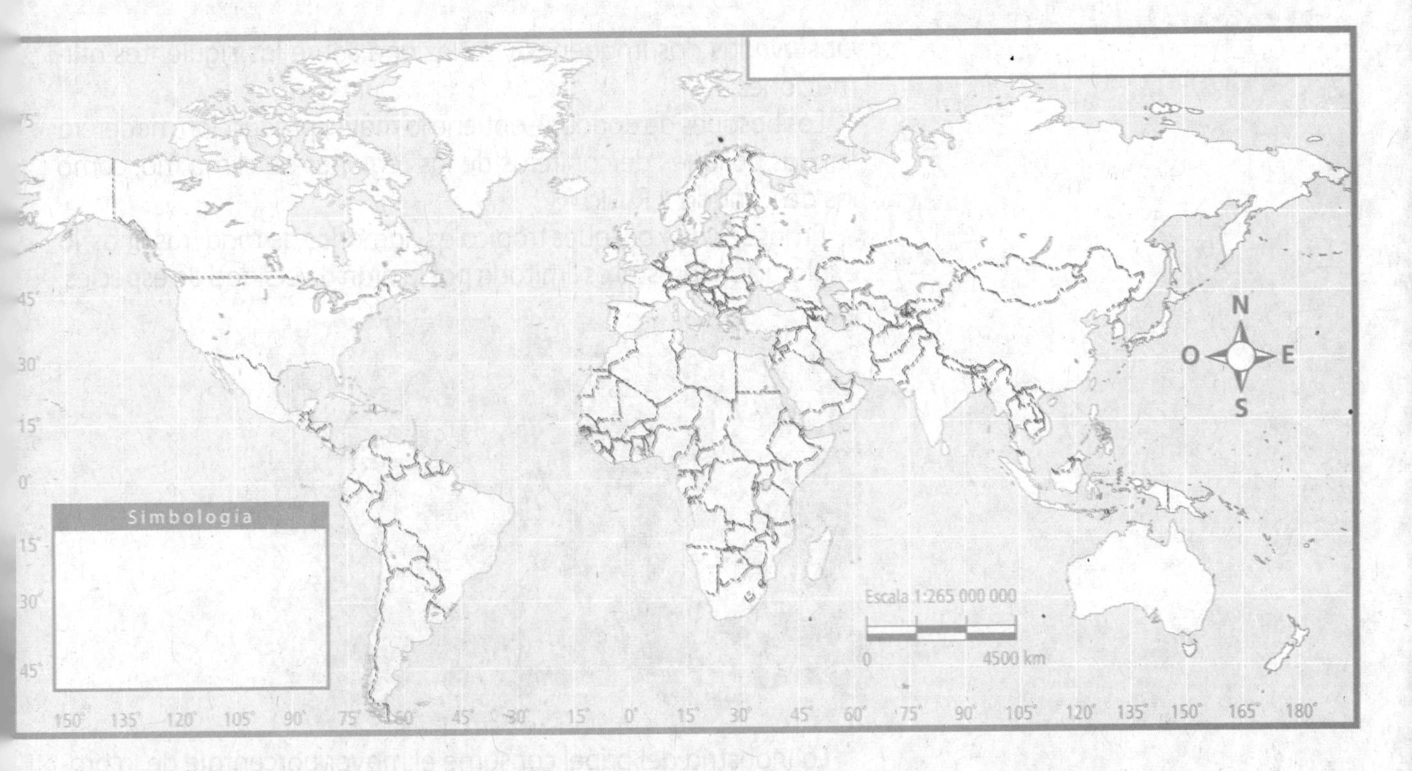

Observa el mapa de la página 71 de tu *Atlas de Geografía Universal* y en tu cuaderno escribe los países con ganadería intensiva, los países con ganadería extensiva, las zonas con alta producción pesquera y las de baja producción pesquera.

Consulta tu mapa y lo que escribiste en tu cuaderno. Elabora una conclusión acerca de la ganadería y la pesca, para ello considera lo siguiente:

- Ganadería que predomina en los principales países productores de carne.
- Tipos de ganadería y pesca que hay en América, Europa, Asia, África y Oceania.
- Principales zonas pesqueras.

Ahora, presenta en la clase tu trabajo con el resto de tus compañeros, anoten una conclusión general en el pizarrón sobre la situación de la ganadería y pesca mundial.

Producción maderera

Los árboles proporcionan recursos maderables y no maderables. Los primeros pueden ser utilizados para la carpintería y la construcción, y los segundos no. Los recursos maderables son la madera y la celulosa; los no maderables, las raíces, tallos, resinas, fibras, ceras y gomas, sirven como alimento o materia prima para fabricar diferentes artículos, por ejemplo el chicle y el cacao son productos no maderables.

Actividad

Observa las dos imágenes y reflexiona sobre las siguientes afirmaciones:

Los bosques de donde se obtiene la mayor producción maderera son los bosques de coníferas de las regiones de clima frío, como los de Canadá y Rusia.

En las selvas y bosques tropicales, llamados de maderas finas, la explotación forestal es limitada por la gran diversidad de especies.

La industria del papel consume el mayor porcentaje de la producción de maderas blandas, como la de las coníferas.

Anota en tu cuaderno las causas por las que los principales productores y exportadores de madera se localizan en el norte de los continentes americano y asiático.

Extracción de minerales e hidrocarburos

Los minerales están presentes en las actividades cotidianas de la sociedad, como en la construcción, en los fertilizantes para el campo, en los transportes y en las comunicaciones.

Su búsqueda y descubrimiento, muchas veces, provocaron migraciones en masa, por ejemplo, la búsqueda de oro y plata que condujo a los españoles al descubrimiento de nuevas tierras en América, o el hallazgo de diamantes en África del sur, que provocó la migración a esa región; de hecho, la explotación de los minerales en esa parte del mundo continúa en manos de empresas extranjeras.

Toda la evolución del ser humano está asociada al uso de los recursos minerales, por ejemplo, el cobre, primer metal que se trabajó y pasó desde la edad del cobre a la era de la electricidad, sólo recientemente ha sido parcialmente sustituido por la fibra óptica y el aluminio.

El consumo de petróleo, gas, carbón, hierro, cobre y aluminio durante el siglo XX representó aproximadamente dos tercios del consumo mineral mundial.

Oro.

Plata.

Cobre.

Actividad

Gran parte de lo que se fabrica o construye, así como la energía que utilizamos, proviene de los materiales que se extraen del subsuelo. La sociedad actual depende de los recursos minerales y de los hidrocarburos, y a medida que crece la población, crece su demanda.

Organícense en equipos e investiguen cuáles son algunos de estos recursos y los países en donde más se extraen. Para ello consulten su *Atlas de Geografía Universal*, en la página 72, y revisen la gráfica de la producción mundial de minerales.

En una tabla como la siguiente anoten cada uno de los minerales e hidrocarburos, los países de mayor producción y para qué se utilizan.

Recurso minero	Principales países productores	Cómo se utiliza

Comenten con sus compañeros qué minerales produce México y en qué porcentajes.

Con el apoyo de su maestro, reflexionen y discutan si están o no de acuerdo con la siguiente afirmación y por qué.

La distribución geográfica de la producción de los principales recursos mineros muestra que la actividad minera se concentró principalmente en los países desarrollados.

Recuerda consumir de manera responsable los productos derivados de los minerales y los hidrocarburos.

Apliquemos lo aprendido

Con el estudio de esta lección y de las anteriores, aprendiste que la extracción de recursos permite la obtención de alimentos y materias primas.

Consulta en un diccionario enciclopédico el concepto de materia prima.

En equipo, elaboren un mapa mental sobre las materias primas. Para hacerlo, tomen como base las siguientes instrucciones:

- Seleccionen tres materias primas que consideren importantes para la fabricación de nuevos productos, de una de las siguientes actividades: agrícola, pecuaria, forestal, pesquera y mineral.
- Colóquenlas alrededor de la actividad seleccionada en el orden que quieran.
- Continúen con los productos que se obtendrían con esas materias primas.
- Agreguen dibujos o texto que indiquen su utilidad.
- Tracen las líneas que unan las palabras o dibujos.

El siguiente esquema es sólo una sugerencia, tracen su mapa mental como lo decida el equipo.

Muestren su trabajo al grupo y comenten por qué seleccionaron esos productos.

Retoma el texto que elaboraste al inicio de la lección, modifica lo que consideres que debes cambiar y agrega lo que le hace falta.

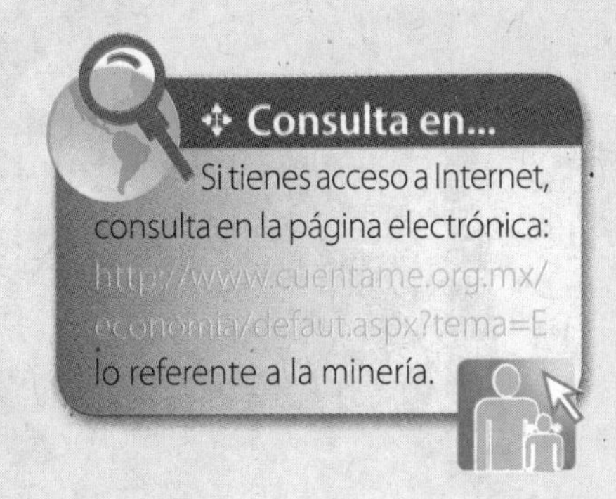

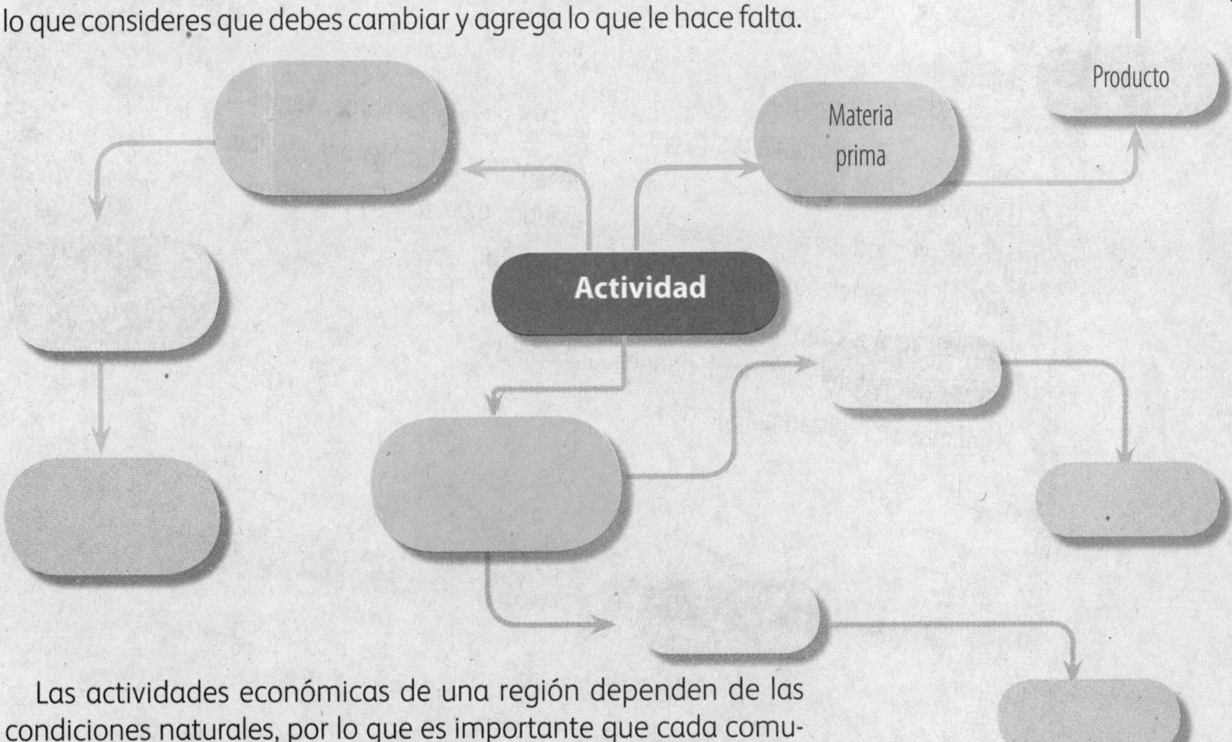

Las actividades económicas de una región dependen de las condiciones naturales, por lo que es importante que cada comunidad aproveche de manera sustentable los recursos disponibles para lograr su desarrollo, es decir, que sea productiva.

Hola, Jimena.

Saludos desde Alemania. Estoy en Frankfurt, una ciudad moderna e industrial donde se producen partes automotrices. Cada año se lleva a cabo la exposición internacional del automóvil, donde además se realizan la feria de la música y la de los libros. Vamos a pasear por el río Meno y a visitar algunos museos. Seguimos en contacto.

Federico

¿CÓMO SE TRANSFORMAN LOS RECURSOS NATURALES?

❖ Con el estudio de esta lección describirás las características e importancia de las actividades secundarias en el mundo.

Comencemos

La industria requiere de una gran cantidad de recursos naturales, materias primas y otros productos que se generan en las actividades primarias. Para generar nuevos productos llamados manufacturados, la industria transforma las materias primas y las combina. Por ejemplo, en la industria automotriz, para la elaboración de las primeras llantas de los autos se utilizó el caucho natural que se obtiene de la savia de los árboles, luego se fue combinando con derivados del petróleo que actualmente son la principal materia prima de esta industria.

¿Qué otras materias primas consideras que requiera la industria automotriz?

Comenten en grupo: ¿qué otras industrias consideran que son básicas para su vida diaria?

Actividad

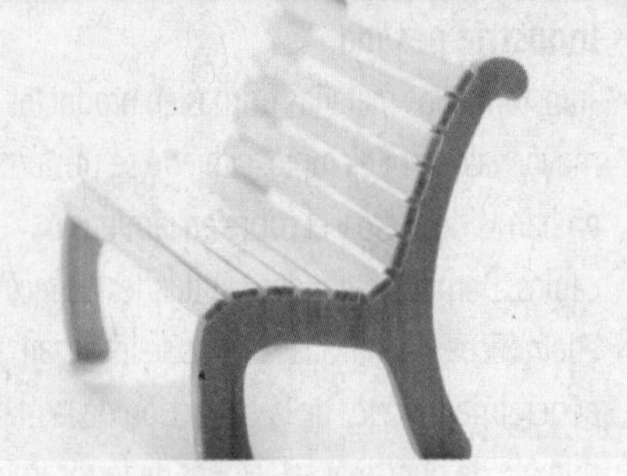

Observa las imágenes y anota en tu cuaderno el proceso de producción de un mueble de madera. En tu texto, indica en qué parte del proceso se utilizan los recursos que provienen directamente de la naturaleza y en qué momento se transforman en productos.

Intégrate a un equipo, seleccionen un producto e investiguen cómo se fabrica.

Ilustren la secuencia de ese proceso de producción y expongan su trabajo ante el grupo.

Aprendamos más

> **Un dato interesante**
>
> En el mundo se comercializan 10 mil millones de zapatos al año. China es el principal productor con 6 mil millones, le siguen India con más de 800 millones y Brasil con 650 millones; México destaca en la industria del calzado por ser el séptimo productor, con 240 millones.

Muchos de los productos que consumes y utilizas como los alimentos enlatados, el calzado, los aparatos eléctricos o tus libros, no podrías tenerlos sin las actividades secundarias o industriales. La industria es importante para el desarrollo económico de los países, además de que mejora sus condiciones de vida.

La industria consiste en la transformación de la materia prima en productos elaborados o manufacturados.

Para transformar las materias primas que proporcionan las actividades primarias, la industria se ha diversificado en varias ramas de producción que se pueden agrupar en dos:

Industria ligera

Genera bienes de consumo directo, es decir, elabora productos de primera necesidad para la población, como alimentos, ropa, calzado, etcétera. Consume menos materias primas y energía que la industria pesada. Incluye las industrias textil, alimentaria, automotriz, de calzado y editorial, entre otras.

Industria pesada

Transforma las materias primas en productos de mayor valor, por ejemplo, el hierro se trasforma en barras de acero y el cobre en láminas o cables. Demanda grandes cantidades de recursos energéticos y agua. Sus fábricas se localizan generalmente cerca de la extracción de la materia prima o de puertos y estaciones de ferrocarril.

A su vez, la industria pesada se divide de la siguiente manera:

Industria pesada

Industria básica
Comprende la siderúrgica, que transforma el hierro en acero; la metalúrgica, que transforma, por ejemplo, la bauxita en aluminio; la química y la petroquímica, que transforman los combustibles fósiles en productos como la gasolina o los ácidos, y la cementera, que utiliza las rocas como el yeso o la caliza para elaborar materiales de construcción.

Industria de transformación
Transforma los productos semielaborados por la industria básica para fabricar maquinaria pesada, unidades de transporte y herramientas.

Exploremos

Observa el mapa de la página 73 de tu *Atlas de Geografía Universal* y en tu cuaderno escribe el nombre de algunos países de acuerdo con el tipo de industria que tienen, pesada o ligera.

Con la información del mapa y de los países que anotaste, contesta en tu cuaderno las preguntas:

- ¿Cuál continente concentra más industria pesada?
- ¿Cómo es la distribución de la industria ligera en el mundo?
- ¿Dónde se concentra la industria pesada en el continente americano?
- ¿Qué tipos de industria se localizan en nuestro país?

En el mundo existen cuatro regiones industriales que coinciden con los países con mayor desarrollo.

Regiones industriales	
La región de los Grandes Lagos y costa oriental de Estados Unidos.	Japón, que dispone de mano de obra numerosa y calificada, alto nivel tecnológico y competitividad comercial.
Se concentran varios factores que favorecen su grado de industrialización: abundantes materias primas, recursos económicos y financieros, y disposición de innovaciones tecnológicas.	Dispone de mano de obra abundante y calificada, alto nivel tecnológico y buena competitividad comercial, esto permite su alto grado de industrialización. A pesar de que Japón no dispone de recursos naturales, cuenta con recursos económicos suficientes para comprar materias primas a otros países: Australia, Estados Unidos y los países de Medio Oriente, que lo proveen de petróleo.

Un dato interesante

Las maquiladoras ofrecen fuentes de empleo a 1 115 230 personas, es decir, 3% de la población económicamente activa (PEA) del país.

Regiones industriales	
Las áreas industriales de Europa occidental que destacan son las regiones alemanas, ubicadas entre los ríos Weser y Elba, el centro-sur del Reino Unido y las regiones de París-LeHavre, también Madrid, Barcelona, Berlín y Burdeos.	Los nuevos países industrializados: República de Corea, Singapur y China (Taiwán y Hong Kong)
Inició la Revolución Industrial en el siglo XVIII y se difundió rápidamente, actualmente no ha dejado de crear innovaciones tecnológicas, esto le permite mantenerse en la competencia mundial.	Es la más reciente, se caracteriza por la creación de nuevas tecnologías que han penetrado en el mercado mundial, y por lo estímulos financieros otorgados por sus gobiernos, les ha permitido la concentración de la industria maquiladora.

Contesten en el grupo:
¿Por qué unos países se industrializan y otros no?
¿Por qué consideran que hay nuevos países industrializados?
¿Por qué México, Latinoamérica y África no están incluidos en las regiones comerciales?
Comenten sus respuestas.

Consulta en...

Si quieres saber más sobre la industria en nuestro país y tienes Internet, consulta la página http://cuentame.inegi.gob.mx/economia/secundario/manufacturera/default.aspx?tema=E

La industria manufacturera

Industria química, derivados del petróleo, productos de caucho y plástico.

Es una actividad económica del sector secundario que transforma una amplia gama de materias primas en artículos que se destinan al consumo de la población. La integran desde empresas muy pequeñas, como tortillerías, panaderías y molinos, hasta grandes empresas, como armadoras de automóviles, embotelladoras de refrescos, empacadoras de alimentos, laboratorios farmacéuticos y fábricas de juguetes. Las industrias manufactureras se clasifican de acuerdo con los productos que fabrican:

Industria de productos metálicos, maquinaria, refacciones y equipo (industrias pesada y siderúrgica).

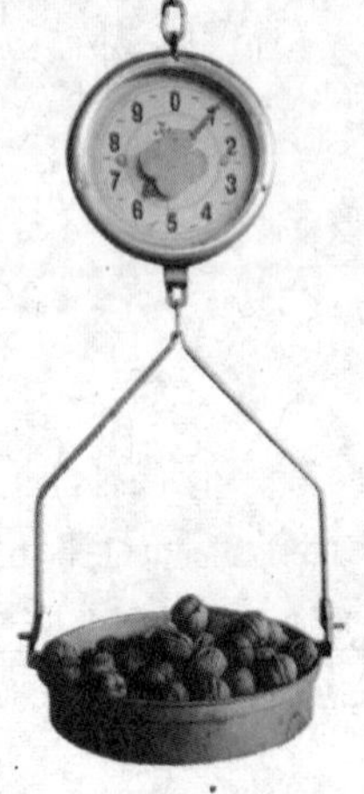

Industrias manufactureras de artículos de precisión, básculas, relojes, equipo instrumental médico y aparatos fotográficos.

Industria de textiles e industria del cuero.

Industria de productos derivados del papel.

Industria maderera.

Industria de productos alimenticios, bebidas y tabaco.

Apliquemos lo aprendido

Describe qué productos utilizas en tu casa y a qué industrias manufactureras pertenecen.

Intégrate a un equipo y elaboren un mapa de la industria manufacturera.

Sigue las instrucciones:

- Utiliza un planisferio tamaño doble carta.
- Toma en cuenta los datos de las gráficas de la página 74 de tu *Atlas de Geografía Universal* y elabora una simbología para representar cada uno de los productos, por ejemplo, barras de acero, un automóvil, un costal de cemento, etcétera.
- Coloca cada símbolo en los países que corresponde. Anota un título a tu mapa y no olvides dibujar la rosa de los vientos.
- Pega tu mapa en el salón.

De acuerdo con la información de las gráficas que consultaron en el *Atlas de Geografía Universal* diseña con tu grupo un periódico mural sobre el sector secundario.

Incluye las actividades económicas secundarias e ilústralo con dibujos, recortes de revistas y el mapa que elaboraron.

Intégrate a uno de los dos equipos que discutirá las ventajas o desventajas de las maquiladoras.

Investiguen acerca de las maquiladoras: ¿qué son? ¿Por qué se han establecido en regiones de mano de obra barata? ¿Qué tipo de productos elaboran?

Formen dos equipos, y con el apoyo de su maestro, debatan acerca de la problemática de las maquiladoras. Uno de los equipos dará sus argumentos a favor y el otro en contra.

El resto del grupo anotará en sus cuadernos sus comentarios, los cuales podrán decir al terminar el debate para apoyar una u otra posición.

Cada uno anote sus conclusiones en su cuaderno.

Ventajas	Desventajas
Los países occidentales, para competir con los bajos precios de los asiáticos, establecen en regiones de mano de obra a bajo costo, empresas de los sectores de confección, textil, calzado, juguetería y partes electrónicas.	Compañías extranjeras principalmente asiáticas y norteamericanas que por establecerse en un país, no tienen que pagar impuestos, por lo tanto no reciben dinero para mejorar.
Se crean numerosas fuentes de empleo.	Las utilidades se van al país de origen y como no se pagan impuestos no contribuyen al mejoramiento del lugar en donde se establecen.
Elaboración de productos baratos para la exportación.	Pueden cerrar en cualquier momento. Cuando ya no consideran que las empresas son competitivas cierran y dejan sin trabajo a los empleados.
Un porcentaje pequeño de la producción se puede vender en el país donde se instalan a precios bajos. Por esto, las compañías extranjeras sí pagan impuestos para su venta.	Los trabajadores ignoran todo el proceso de producción que les permite adquirir experiencia en la manufactura de los productos, ya que sólo participan en una pequeña parte.

Hola, Nina.

Ayer me escapé con unos amigos de la oficina que también vinieron a trabajar acá. Nos fuimos a recorrer la parte antigua de Bangkok y nos encontramos con este curioso mercado sobre agua. Es un lugar lleno de colores, olores y sabores.

En las orillas, sobre las lanchas, encuentras comida, ropa y todo tipo de artesanías. Este río que ves se llama Chao Phraya, desemboca en el golfo de Tailandia, donde, según me cuentan, hay playas bonitas. Ojalá pueda ir a descansar un poco.

Salúdame a los tíos y los primos.
Un abrazo, chao bella.
Valeria

¿CÓMO LLEGAN LOS SERVICIOS Y LOS PRODUCTOS A MÍ?

❖ Con el estudio de esta lección explicarás las características y la importancia de las actividades que brindan servicios en el mundo.

Comencemos

El comercio y el turismo son actividades importantes, tanto para la economía mexicana como para la mundial. Sin ellas, muchas personas no podríamos contar con los bienes y servicios que se producen, gracias a las actividades primarias y secundarias que requerimos para desarrollar nuestra vida diaria: alimentos, ropa, vivienda, transportes para ir a la escuela o de vacaciones.

Localiza en tu *Atlas de Geografía Universal* la ciudad de Bangkok, en Asia, que se menciona en la postal y comenta con tus compañeros ¿qué ventajas tendría para los vendedores y compradores que el mercado se encuentre sobre el agua?, ¿por qué consideran que este tipo de mercado es atractivo para el turismo?

❖ Autobuses de dos pisos en París.

❖ Tren subterráneo en Tokio.

❖ Canal de Panamá.

Actividad

Busca tres productos u objetos en tu casa o en la escuela que hayan sido importados y anota su país de origen.

Reúnete con un compañero y en un planisferio localicen los países de origen de sus productos. Distínganlos dibujando un símbolo para cada uno.

Con flechas, unan esos países con México.

Sobre las líneas, dibujen o anoten el tipo de transporte que consideren que se utilizó para hacerlos llegar hasta nuestro país y dentro del territorio mexicano anoten los medios por lo cuales creen que les llegó el producto.

En grupo comenten: ¿qué importancia tienen el transporte y las comunicaciones para el comercio mundial?

Las actividades del sector terciario de la economía no generan productos materiales tangibles, su función es vender, distribuir y dar mantenimiento a lo que produce el sector primario y a lo que fabrica el sector secundario. En el sector terciario se desarrollan el comercio, las comunicaciones, los transportes, el turismo y todos los servicios bancarios encargados del manejo de dineo.

Mercado en Guadalajara, México.

Ibiza, España, importante centro turístico europeo.

El comercio es la actividad mediante la cual se intercambian, venden o compran productos. A quien vende un producto se le denomina comerciante; a quien lo compra, consumidor.

Los servicios agrupan las actividades dedicadas a la promoción, distribución y mantenimiento de productos, así como al esparcimiento de la población, como el turismo o el espectáculo de un circo.

Los medios de transporte, como barcos, trenes, aviones o autobuses, ofrecen un servicio que facilita el traslado de personas y mercancías de un lugar a otro. Resultan indispensables para el comercio porque forman un sistema de rutas (redes) hecho para distribuir las mercancías, llevándolas desde los centros de producción hasta los de consumo. También son útiles para la industria y los servicios, al trasladar a las personas de sus hogares a sus centros de trabajo o estudio.

Los viajes en avión son más rápidos que por carretera o en barco.

Crucero en Hamburgo, Alemania.

En América del Norte, el transporte terrestre es el más importante.

Ferrocarril de carga. Suiza.

Actividad

Lee la siguiente nota:

México, 2011 — página 12

Alrededor de 80 por ciento de las importaciones agrícolas totales de México son de granos básicos y oleaginosas (maíz, sorgo, trigo, frijol, cebada, arroz, cártamo, soya y ajonjolí).

El cultivo de frijol representa la segunda actividad agrícola más importante después del maíz. Las importaciones de este grano crecieron 67 por ciento en 2006, mientras que las exportaciones cayeron 45.3 por ciento.

El sorgo es un cultivo estratégico para el país, ya que es el alimento fundamental para el sector pecuario, que demandará este año más de 8 millones de toneladas. En otro frente, el país produce menos de la mitad del requerimiento interno de trigo, generando una dependencia importante del exterior, principalmente de Estados Unidos y Canadá.

Completa en tu cuaderno la nota siguiente:

México, 2011 — página 14

El jefe del Departamento del Centro Universitario de Ciencias Sociales y Humanidades de la aUniversidad de Guadalajara, Roberto Hernández, destacó la importancia de los granos, al decir que "en una crisis mundial, cualquier mercado puede dejar de consumir verduras y frutas como aguacate, mango, rábano, entre otros, y no hay problema, pero si a nosotros nos quitaran el comercio del maíz".

Comenta con tu grupo: ¿qué ocurriría con las familias de tu localidad si mañana cerraran las carreteras que unen a Estados Unidos con México, así como los puertos de nuestro país?

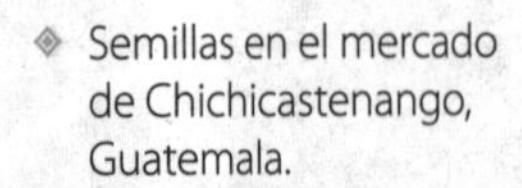

Semillas en el mercado de Chichicastenango, Guatemala.

Intercambio comercial necesario

◈ Familia oriental comiendo pescado.

Si un país produjera todo lo que necesita, el comercio no sería necesario; pero hay pocos países que cuentan con los recursos naturales, el desarrollo industrial y los servicios suficientes para cubrir todas las necesidades de su población. Por ejemplo, Japón, un país desarrollado, tiene un territorio predominantemente montañoso, poco favorable para la agricultura y la ganadería, pero al estar rodeado de mar, su población ha aprendido a alimentarse de pescado principalmente. Sin embargo, las personas también desean comer carne y huevo. Para cubrir estas necesidades, Japón importa productos agrícolas y ganaderos desde países como China y Estados Unidos, y se ha convertido en el importador de carne número uno del mundo.

Japón no sólo compra, al mismo tiempo vende productos manufacturados (maquinaria de transporte eléctrica, química y metales), que tienen un valor comercial mayor que los productos que compra.

Los países venden lo que tienen más o lo que han aprendido a producir y compran aquello que no tienen o que no producen. Eso define los principales productos del comercio internacional.

◈ Robot industrial en una fábrica de Oriente.

Exploremos

Reúnete con un compañero y observen las siguientes tablas.

Productos más exportados a nivel mundial (en 2005)
Total: 105 751.5 millones de dólares*

Productos del sector primario	Millones de dólares	Productos del sector secundario (manufactura)	Millones de dólares
Agricultura	20.1	Maquinaria y equipo de transporte	9.5
Productos alimenticios (trigo, vinos, carne, leche y crema)	16.1	Productos químicos	4.6
Materias primas (lana)	3.9	Hierro y acero	0.5
		Textiles	0.3
Minería	48.4	Prendas de vestir	0.2
Hierro, aluminio y cobre	16.7		
Metales no ferrosos	6.1	**Oro**	4.2
Combustibles			
(carbón, petróleo y gas natural)	25.6		
TOTAL	68.5	TOTAL	20.5

Productos más importados a nivel mundial (en 2005) Total: 118,921.9 millones de dólares *			
Productos del sector primario de dólares	Millones de dólares	Productos del sector secundario (manufactura)	Millones de dólares
Agricultura	5.5	Maquinaria y equipo de transporte	44.3
Productos alimenticios (trigo, vinos, carne, leche y crema)	4.6	Hierro y acero	2.2
		Productos químicos	11.4
Minería	12.1	Productos para automóviles	12.8
Hierro, aluminio y cobre	0.3	Textiles	1.5
Metales no ferrosos	0.7	Prendas de vestir	2.6
Combustibles (carbón, petróleo y gas natural)	11.1	Oro	1.8
TOTAL	17.5	TOTAL	79.9

* División de Estadística de las Naciones Unidas, base de datos Comtrade (CUCI Rev.3). Obtenida del documento de la Organización Mundial de Comercio (WTO), en: http://www.wto.org/spanish/tratop_s/tpr_s/s178-05_s.doc

Subrayen en la tabla los productos específicos más exportados. ¿Esos productos son importados en la misma proporción?

Sigan las instrucciones:

Revisen en la página 75 de su *Atlas de Geografía Universal* las gráficas de los principales países que producen y consumen energía.

Localicen en el planisferio los países que producen y consumen combustibles: gas natural, carbón y petróleo.

Elaboren un símbolo para cada producto y destaquen con un color los países productores y utilicen otro para los consumidores.

Escriban un título en su mapa y en grupo comenten: ¿por qué piensan que los productos más exportados no coinciden con los más importados? ¿Qué relación tiene el comercio internacional con la producción y consumo de combustibles?

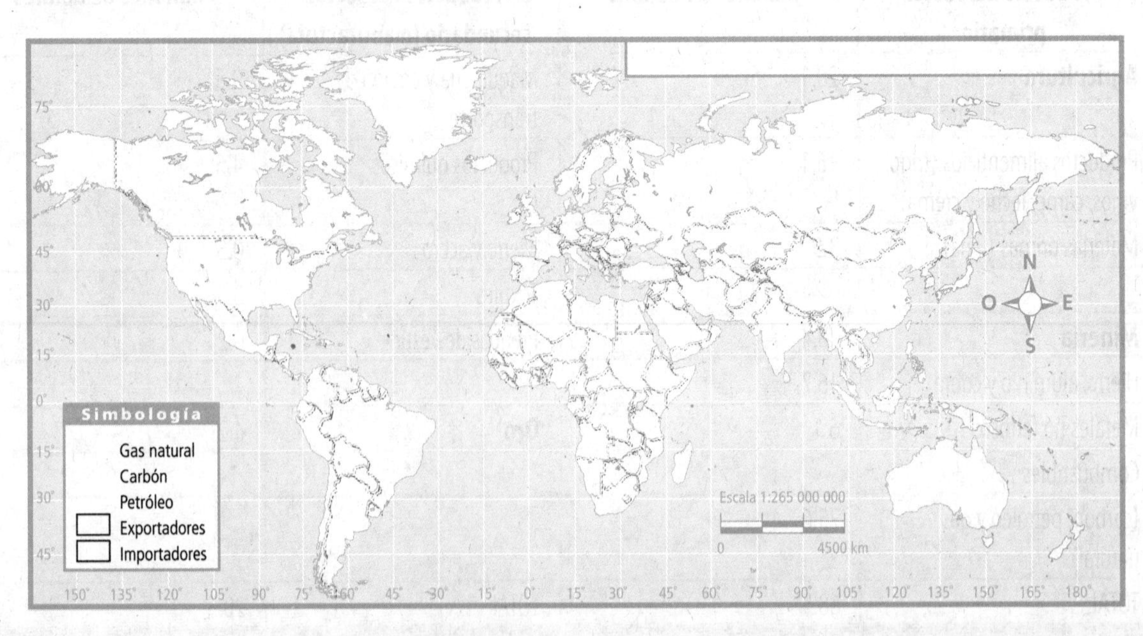

Turismo

Otro de los servicios que proporcionan bienestar a la población es el turismo. Esta actividad implica viajar para salir de los lugares habituales hacia otros que sean atractivos por diversas razones.

Los sitios atractivos son muy diversos, pueden ser culturales, como zonas arqueológicas o museos; lugares naturales, como cataratas o volcanes, y también de actividad deportiva, como el ciclismo, el alpinismo o la pesca.

El turismo es una de las actividades económicas del sector terciario que puede traer beneficios a las naciones donde se realiza, por ejemplo, en el caso de México, llegan cerca de 21 millones de turistas al año; después del petróleo y las remesas, el turismo es la tercera fuente de ingresos para nuestro país.

Un dato interesante

Puerto espacial comercial en el desierto de Nuevo México.

Actualmente está en construcción el puerto espacial de Nuevo México que ofrecerá modernas instalaciones para los astronautas novatos que quieran realizar sus sueños. La construcción está en marcha y la autoridad de Puerto Espacial de Nuevo México (NMSA), en el año de 2010, inauguró la pista de cerca de dos millas de largo, lo que representa un progreso significativo hacia el lanzamiento de las naves espaciales comerciales.

Fuente: http://www.hq.nasa.gov/office/hqlibrary/pathfinders/space-tourism.htm

Zona arqueológica de Erecteión, Grecia.

Toma aérea de las cataratas del Niágara.

El turismo de actividad deportiva es una fuente de ingresos importante en países montañosos como México.

Actividad

Revisa la gráfica de países más visitados en el mundo, en la página 77 de tu *Atlas de Geografía Universal*.

Formen equipos y seleccionen un país. Posteriormente, observen la siguiente tabla de las ciudades más visitadas e identifiquen las que corresponden al país que seleccionaron.

Clasificación	Ciudad	País	Turistas que reciben (en miles)
1	Londres	Reino Unido	15640
2	Bangkok	Tailandia	10350
3	París	Francia	9700
4	Singapur	Singapur	9502
5	Hong Kong	China	8139
6	Nueva York	EUA	6219
7	Dubai	E. Árabes Unidos	6120
8	Roma	Italia	6033
9	Seúl	Corea Sur	4920
10	Barcelona	España	4695
11	Dublín	Irlanda	4469
12	Bahrain	Bahrein	4418
13	Shanghai	China	4315
14	Toronto	Canadá	4160
15	Kuala Lumpur	Malasia	4125
16	Estambul	Turquía	3994
17	Madrid	España	3921
18	Amsterdam	Países Bajos	3901
19	La Meca	Arabia Saudita	3800
20	Praga	República Checa	3702
21	Moscú	Federación Rusa	3695
22	Pekín	China	3593
23	Viena	Austria	3339
24	Taipei	Taiwán	3280
25	San Petersburgo	Federación Rusa	3200
26	Cancún	México	3074

◈ Fuente: http://www.euromonitor.com/Top_150_City_Destinations_London_Leads_the_Way

Busquen imágenes o realicen un dibujo de esos lugares atractivos para el turismo.

Cada equipo pegará en el salón las imágenes que trajeron. Expongan, durante cinco minutos, cuáles son los atractivos de la ciudad que investigaron.

Apliquemos lo aprendido

Cuando un país genera suficiente producción en los sectores primario y secundario, exige el desarrollo del sector terciario, que permite hacer llegar esa producción a la población que lo requiere. Sin embargo, esto no siempre ocurre de esa forma, pues hay países como el nuestro, que no desarrollaron su industria lo suficiente para cubrir las necesidades de su propia sociedad y buscaron en el comercio exterior aquello que requerían, por lo que se fue dando mayor peso al sector terciario de la economía.

Observa el mapa que está en el anexo, página 190, sobre la cantidad de personas que emplea el sector terciario en el mundo.

* http://geografo.info/ (Datos de 2005).

Elabora en tu cuaderno una tabla como la siguiente:

Porcentaje de personas empleadas en el sector servicios		
Países con alto porcentaje	Países con porcentaje medio	Países con bajo porcentaje

En grupo, comenten: ¿qué relación encuentran entre el grado de desarrollo de ciertos países y su porcentaje de empleos en el sector terciario?

Formen tres equipos, uno por cada sector de la economía. Cada uno deberá explicar qué consisten las actividades de su sector y después dar argumentos sobre cuál debe desarrollarse más en un país y por qué.

En los países más desarrollados, conforme ha avanzado el desarrollo tecnológico y científico aplicado a la agricultura y a la industria, se ha liberado mano de obra y capital que se emplea principalmente en el sector de servicios, lo que ha generado ingresos con un peso importante en la economía.

Sydney, Australia
Hola, Celia.
Saludos desde esta lejana ciudad de Sydney, en Australia, la cual tiene uno de los mejores niveles de vida en el mundo. Es muy moderna.
En la postal se pueden ver el puente y la Casa de Ópera, dos construcciones emblemáticas y muy famosas de
aquí. Mañana disfrutaremos de Manly una de las hermosas playas, donde, si tenemos suerte, veremos a las ballenas. Llegando te enseño más fotos.
¡Saludos!
Melina
ONE PENNY

¿CÓMO VIVIMOS AQUÍ Y ALLÁ?

❖ Con el estudio de esta lección compararás las condiciones socioeconómicas de los países representativos del mundo.

Comencemos

Hay países como Australia que tienen condiciones de vida óptimas para la mayoría de sus habitantes, es decir, que proporcionan lo necesario para que su población tenga un buen nivel de vida; otros tienen un nivel medio, como Brasil, y muchos otros un nivel bajo.

En esta lección compararás las condiciones socioeconómicas de algunos países del mundo.

Reúnete con un compañero y comenten: ¿qué características sociales y económicas en su comunidad requieren mejores condiciones?

En grupo, identifiquen y anoten en el pizarrón aquellos elementos del lugar donde viven, que demuestren buenas condiciones socioeconómicas de la población.

❖ Foto aérea de una zona residencial, Morelos, México.

❖ Hospital en África.

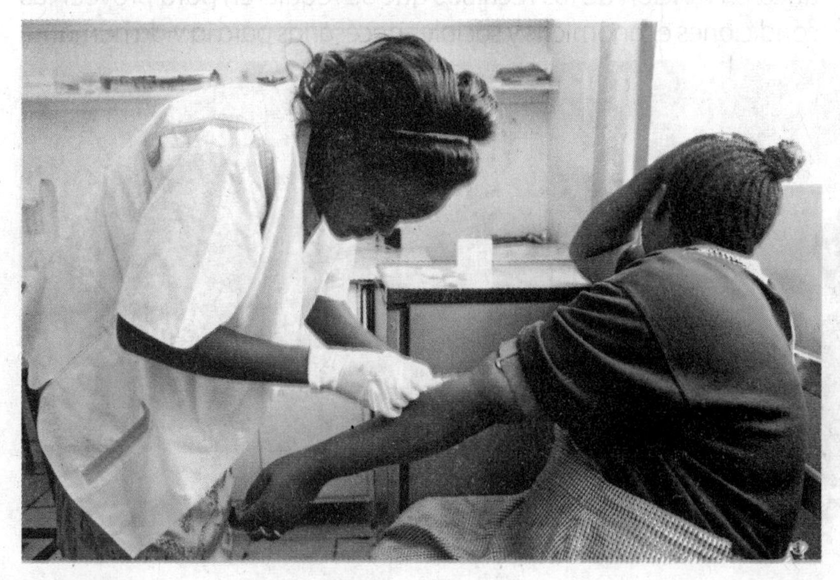

❖ Transporte público en El Cairo, Egipto.

Actividad

Contesta en tu cuaderno las preguntas y después comenta tus respuestas con tus compañeros.

- ¿Qué necesitas para vivir bien?
- ¿Cómo son las condiciones de vida de las personas del lugar donde vives?

Observa las imágenes y comenta con tus compañeros qué servicios son importantes para que la población disfrute de bienestar social, es decir, para que disponga de condiciones satisfactorias de vida en cuanto a educación, salud, alimentación, seguridad social y vivienda.

Aprendamos más

◈ La enseñanza en una escuela del pueblo en el Kurdistán iraquí, 2004.

A pesar de que en el mundo se han logrado grandes avances tecnológicos en las comunicaciones, y cada vez resulta más sencillo el intercambio comercial entre países, las desigualdades socioeconómicas de la población se han incrementado.

Para tener un panorama de la desigualdad, se consideran aspectos que ayudan a tener mejores condiciones de vida. La Organización de la Naciones Unidas (ONU), desde 1990, considera tres aspectos para medir los progresos generales de un país: la esperanza de vida, el nivel educativo y el nivel de vida tomando en cuenta el producto interno bruto (PIB) por persona.

La esperanza de vida al nacer es una proyección del número de años que esperan vivir los habitantes de una población.

El nivel educativo de la población sirve para determinar la capacidad de un país para proporcionar servicios educativos a quienes están en edad de demandar ese servicio. Conforme se incremente el acceso a los servicios educativos y a la capacitación técnica y profesional, mejorará el nivel de vida de las personas. Éste se cuantifica en función de los recursos que se requieren para proveer las condiciones económicas y sociales necesarias para la vida humana.

◈ Hospital geriátrico.

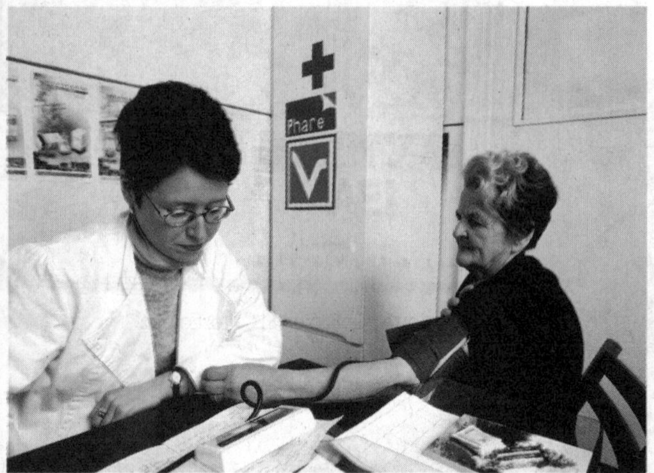

◈ Universidad en Europa.

Un dato interesante

El producto interno bruto por persona es la cantidad de dinero promedio que le correspondería a cada individuo de un país durante un año, tomando en cuenta todo lo que se produce en ese país. Para obtenerlo, se suma lo generado en todas las actividades productivas y se divide entre el número de habitantes del país.

Estos indicadores reúnen las características socioeconómicas más importantes que deben considerarse al comparar las diferencias en el nivel de desarrollo integral de los países.

Actividad

Organizados en equipo observen los datos de la tabla y elaboren un mapa temático sobre el nivel socioeconómico de los países que aparecen en ella. Para ello realicen lo siguiente:

- Dibujen un planisferio en una cartulina.
- Asignen un color a cada nivel, alto y bajo.
- Coloreen en la tabla los países en cada indicador que consideren tienen un alto o un bajo nivel.
- Con los datos anteriores, elaboren su mapa de nivel socioeconómico alto o bajo.
- Escriban el título y registren en un ángulo del mapa la simbología que utilizaron. Peguen su mapa en el salón.
- Comparen su mapa con el de otros equipos y fundamenten sus diferencias.

País	Producto interno bruto (PIB) por persona	Esperanza de vida al nacer (en años)	Porcentaje de personas alfabetizadas (15 años o más)
Noruega	41 420	79.8	99.0
Suiza	35 633	81.3	99.0
Estados Unidos	41 890	77.9	99.0
Alemania	29 461	79.1	99.0
República de Corea	22 029	77.9	99.0
Qatar	27 664	75.0	89.0
Argentina	14 280	74.8	97.2
Emiratos Árabes Unidos	25 514	78.3	88.7
Costa Rica	10 180	78.5	94.9
México	10 751	75.6	91.6
Federación Rusa	10 845	65.0	99.4
Brasil	8 402	71.7	88.6
Turquía	8 407	71.4	87.4
Egipto	4 337	70.7	71.4
Sudáfrica	11 110	50.8	82.4
India	3 452	63.7	61.0
Haití	1 663	59.5	54.8
República Unida de Tanzania	744	51.0	69.4
Zambia	1 023	40.5	68.0
Rwanda	1 206	45.2	64.9
Burkina Faso	1 213	51.4	23.6
Níger	781	55.8	28.7

En grupo, identifiquen dos países de cada indicador: PIB, esperanza de vida y porcentaje de personas alfabetizadas

- En el primer indicador, obtengan la diferencia del PIB entre los dos países seleccionados.
- En el segundo indicador, identifiquen los dos países con esperanza de vida al nacer más alta y más baja.
- En el tercer indicador, identifiquen el porcentaje más alto y más bajo entre los dos países seleccionados.
- De los dos países seleccionados, cuál consideran que tiene un mejor nivel socioeconómico y por qué.

Reflexiona: ¿por qué casi no hay ancianos en África?

Zona marginal en Pekín, China.

La ONU evalúa periódicamente a los países que la integran, los resultados muestran que los ubicados en América del Norte y Europa Occidental, así como Japón y Australia, que tienen un mayor crecimiento económico, destacan por su alto nivel. México ocupa el lugar número 53 porque sus indicadores educativos son bajos.

Ningún país africano ni la mayoría de los del continente asiático alcanzan un nivel alto. Los países de estas regiones menos desarrolladas, junto con los de América Latina y los que integraban la Unión Soviética, tienen niveles medio o bajo; en algunos, los salarios son altos, pero las condiciones de vida de la población aún son deficientes, sobre todo en el campo y en las zonas marginadas de las ciudades; tal es el caso de China e India, los dos países más poblados del mundo.

Un amplio porcentaje de los países que ocupan un nivel bajo se localiza entre la región subsahariana de África y el límite sur de este continente. En Sierra Leona, Níger, Burkina Faso, Mali, Chad y la República Centroafricana es notorio el atraso en los servicios sociales que ofrecen a la población y las condiciones de vida precarias. El índice de esperanza de vida de sus habitantes se calcula entre los 40 y 50 años.

Entre los países aún existen enormes diferencias en relación con las condiciones de vida que tiene su población. Es necesario emprender tareas en materia política, económica y social que impulsen el desarrollo de los menos favorecidos.

Maharashtra, India.

Apliquemos lo aprendido

Jueguen a comparar países, para ello deben organizarse en grupo con ayuda de su maestro. Sigan las siguientes indicaciones:

Escriban en 22 tarjetas los nombres de los países que aparecen en la tabla de la página 143. Asignen una tarjeta de países a 22 compañeros, sin que la vean los demás. Se colocarán alineados en medio del salón, para que se puedan desplazar hacia adelante o hacia atrás.

El maestro leerá en voz alta alguna característica (PIB, esperanza de vida o porcentaje de alfabetizados).

Nivel	PIB por persona	Esperanza de vida al nacer	Porcentaje de personas alfabetizadas de 15 años y mayores
Alto	Mayor de 9500 dólares	Mayor a 75 años	Mayor de 90%
Bajo	Hasta 700 dólares	Hasta 62 años	Hasta 70%

Cada vez que mencione alguna de las características de la tabla anterior, decidan si dan un paso adelante, un paso atrás o permanecen en su lugar. Darán un paso al frente cuando la característica que se menciona corresponda a un mayor nivel socioeconómico. Darán un paso atrás cuando la característica corresponda a un nivel socioeconómico menor.

Al final, observen en qué lugar quedaron, después, cada uno mencione el país que le tocó y expliquen por qué se desplazaron de esa manera.

Comenten en grupo si están de acuerdo con la forma en que se desplazaron sus compañeros y por qué.

Anoten en su cuaderno sus conclusiones.

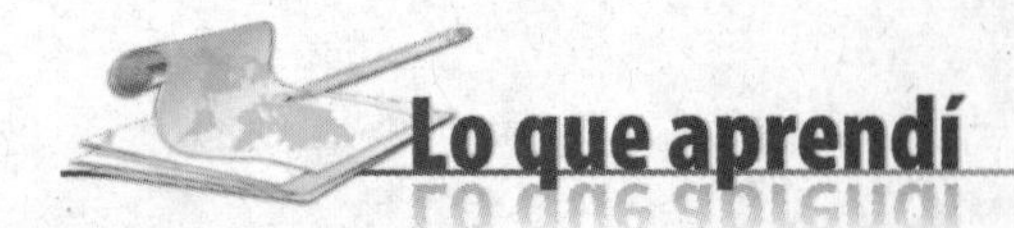

Lo que aprendí

Lee la nota informativa y realiza las actividades.

 México, 2011 página 10

Jens-Peter Poulsen, vicepresidente de la compañía danesa Lego, sonríe y entrega su tarjeta de presentación: un pequeño muñeco de Lego que lleva impreso el nombre y el logo de la juguetera sobre su camisa blanca.

En su entrevista, comentó que la compañía nació en 1932 como una actividad alternativa del carpintero Ole Kira Christiansen, quien comenzó elaborando patos de madera y quince años después descubrió que el plástico obtenido del petróleo podía funcionar mucho mejor para desarrollar juguetes. En 1949 desarrolló el prototipo de lo que sería su gran invento: el bloque o "ladrillo", término utilizado por la compañía Lego. Enseguida agregó que "el principal insumo utilizado en el proceso productivo es el plástico. Finalmente, en el empaquetado se usa papel, cartón e insumos gráficos. Pero en todo caso, el insumo más caro para Lego no es el plástico, sino los recursos humanos que hicieron posible ese desarrollo".

La fabricación de piezas Lego es realizada en varias ubicaciones alrededor del mundo. Desde 2003, las piezas son moldeadas en una de dos plantas en Dinamarca y Suiza, la decoración de ladrillos y empaquetado puede ser hecho en plantas en Dinamarca, Suiza, Estados Unidos, Corea del Sur y República Checa. Actualmente, las principales fábricas de Lego son las de Dinamarca, Hungría, República Checa y México, donde se hacen las muy conocidas piezas. En China se hacen piezas robóticas y electrónicas que forman parte de esta gran colección.

La producción se ha desplazado hacia países menos desarrollados, con costos de producción reducidos, conservando en el país de origen aquellos aspectos que generan mayor valor añadido (diseño, tecnología, investigación, comercialización y publicidad).

Dibuja en tu cuaderno los tres grupos de productos o servicios que se mencionan en la nota y que corresponden a los tres sectores económicos. Al lado de cada grupo, anota el tipo de actividades económicas que se realizan para obtenerlos.

Imagina que ocurrió un desastre y las actividades de un sector económico que desarrolla la empresa Lego tuvieron que suspenderse. Selecciona el sector que dejó de funcionar. Luego, describe la situación que se presentaría en la empresa si las actividades y productos de ese sector se dejaran de realizar o producir. Escribe lo que piensas que ocurrirá con la producción, los empleados y el ambiente de las zonas donde se extrae, produce y distribuye la producción de Lego.

____

____

____

Mis logros

Lee el texto, observa la gráfica y responde las preguntas. Selecciona la respuesta correcta encerrando en un círculo la letra correspondiente.

Las extensas llanuras de Ucrania se han ganado el apodo de "granero de Europa" gracias al suelo oscuro y rico de los campos de trigo y otros productos alimenticios. Ucrania produce 25 % de toda la producción agrícola de los países que formaron parte de la Unión Soviética y comercia con la Unión Europea. Hoy en día, Ucrania exporta cantidades importantes de granos, hortalizas, carne y leche. Además, el procesamiento de alimentos, especialmente la elaboración de azúcar de remolacha, es uno de los sectores de su industria. Casi uno de cada cuatro trabajadores en Ucrania se emplea en la agricultura o la silvicultura.

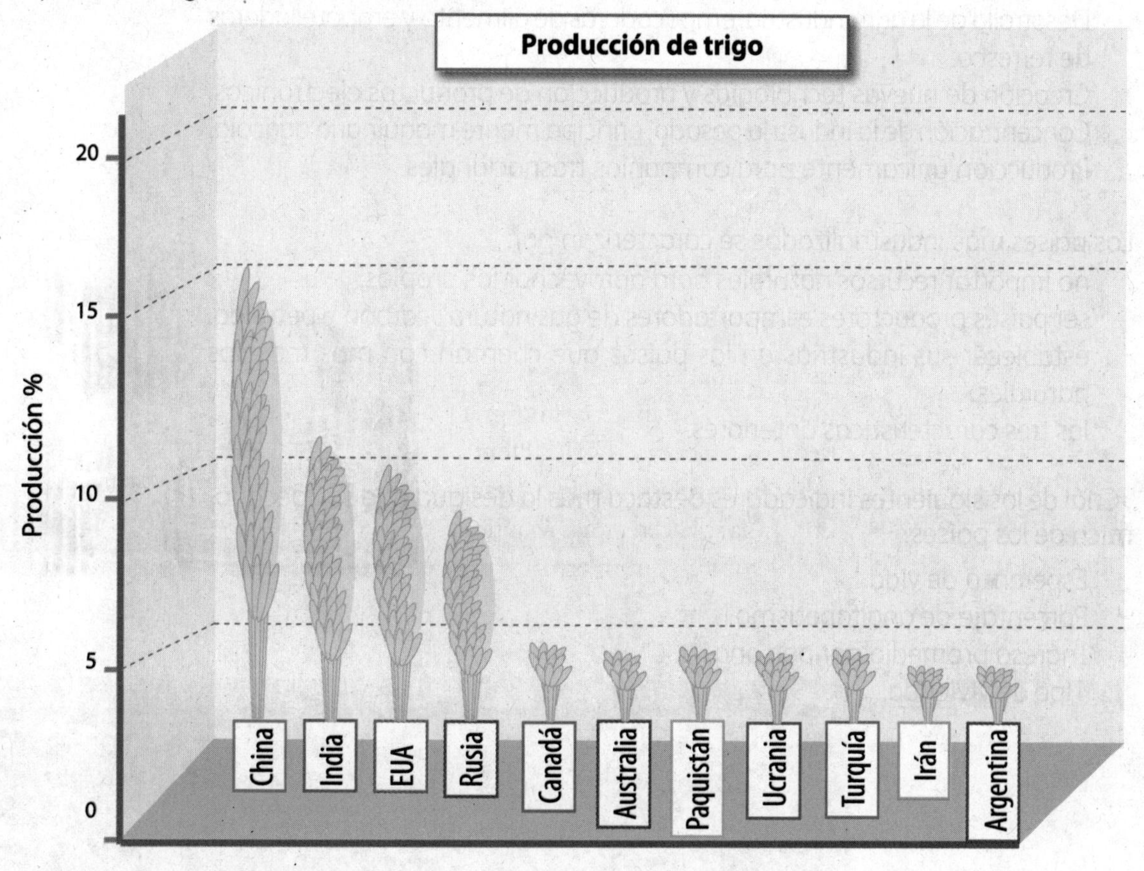

1. Es una característica económica que identifica la región de las llanuras de Ucrania.

   a. La cuarta parte de la población se dedica a las actividades primarias.
   b. La industria es principalmente agroindustrial.
   c. El sector económico que emplea mayor número de personas es el agropecuario.
   d. Es el país europeo que más produce trigo.

2. ¿A cuál de las siguientes regiones del mundo exportará trigo Ucrania?
   a. La región norte de América.
   b. La región del Sureste Asiático.
   c. Europa Occidental.
   d. América del Sur.

3. Por sus características naturales y su producción agrícola y ganadera, Ucrania desarrolla una
   a. agricultura comercial y una ganadería extensiva.
   b. agricultura de temporal y una ganadería extensiva.
   c. agricultura intensiva y una ganadería intensiva.
   d. agricultura de subsistencia y una ganadería de autoconsumo.

4. Son características que identifican a la región industrial del sureste asiático.
   a. Desarrollo de la agroindustria, empacadoras de alimento y embotelladoras de refresco.
   b. Creación de nuevas tecnologías y producción de productos electrónicos.
   c. Concentración de la industria pesada, principalmente maquinaria agrícola.
   d. Producción únicamente para compañías trasnacionales.

5. Los países más industrializados se caracterizan por:
   a. no importar recursos naturales para aprovechar los propios.
   b. ser países productores e importadores de gas natural, carbón y petróleo.
   c. establecer sus industrias en los países que cuentan con más recursos naturales.
   d. las tres características anteriores.

6. ¿Cuál de los siguientes indicadores destaca más la desigualdad socioeconómica de los países?
   a. Esperanza de vida.
   b. Porcentaje de analfabetismo.
   c. Ingreso promedio por persona.
   d. Tipo de vivienda.

Llanuras ucranianas. Río Danibio, Ucrania.

Autoevaluación

Es tiempo de que evalúes lo que has aprendido en este bloque. Lee cada enunciado y marca con una palomita (✓) el nivel que hayas alcanzado.

Aspectos a evaluar	Lo hago bien	Lo hago con dificultad	Necesito ayuda para hacerlo
Identifico la relación entre los recursos naturales y el desarrollo de las actividades primarias.			
Analizo en gráficas y tablas las características e importancia de las actividades económicas primarias.			
Identifico los países con mayor desarrollo industrial y represento en mapas sus principales productos.			
Analizo en imágenes y tablas las características de las actividades terciarias como comercio, transportes y turismo.			
Distingo en tablas y gráficas las diferencias socioeconómicas de países representativos del mundo.			

Escribe una situación en la que apliques lo que aprendiste, hiciste e investigaste en este bloque.

____

____

Aspectos a evaluar	Siempre	Lo hago a veces	Difícilmente lo hago
Valoro la importancia que tienen las actividades humanas primarias, secundarias y terciarias para cubrir las necesidades básicas de la población del planeta.			
Reflexiono sobre las desigualdades en las condiciones socioeconómicas de países representativos incluyendo México.			
Elaboro con mis compañeros las conclusiones de las actividades.			

Me propongo mejorar en: ____

BLOQUE V

Cuidemos el mundo

El derrame del buque petrolero. Exxon Valdez, en 1989, afectó a la fauna y vegetación de las costas de Alaska.

Playa Manuel Antonio, Costa Rica

COSTA RICA
correos
100 AÑOS DEL INSTITUTO METEOROLÓGICO NACIONAL
2 colones

Juancho:

Te escribo mientras estoy viendo, desde la habitación del hotel, a un divertido chango columpiándose de uno a otro árbol. Ha sido una experiencia muy agradable convivir con la naturaleza. Fue una idea muy buena de mi mujer pasar aquí, en la playa Manuel Antonio, nuestras vacaciones, los niños se han divertido como nunca y lo mejor es que han aprendido a respetar a las plantas y a los animales. Regreso con nuevas ideas para el diseño del parque ecológico que nos pidió el director.

Saludos para la familia. Raúl

PAÍSES Y CALIDAD DE VIDA

❖ Con el estudio de esta lección identificarás la relación entre las condiciones naturales, sociales, económicas y políticas que inciden en la calidad de vida de la población.

Comencemos

El nivel socioeconómico no es sólo el que proporciona una buena calidad de vida, como verás en esta lección.

Comenten en grupo por qué fue importante para Raúl pasar sus vacaciones en Costa Rica. ¿Cuáles son las condiciones que permiten a la gente de un país gozar de una existencia placentera?

Actividad

Formen tríos. Observen y comparen la postal del inicio de la lección y las fotografías siguientes. Decidan cuáles de ellas reflejan que la población tiene una buena calidad de vida.

Comenten al grupo qué elementos de las imágenes les sirvieron para decidir cuáles de ellas representaban familias con una adecuada calidad de vida.

Anoten en su cuaderno lo que consideran que significa la expresión calidad de vida.

◈ Comunidad rural en India.

◈ Comunidad rural en Níger.

◈ Tienda rural en Francia.

◈ Familia campesina en Holanda.

Aprendamos más

Condiciones naturales, socioeconómicas y calidad de vida

La calidad de vida se relaciona con el medio natural y con las condiciones sociales, económicas y políticas de cada país. Todos los aspectos que influyen en el desarrollo familiar y social en general, determinan si la población goza de una buena o mala calidad de vida. Según la Organización Mundial de la Salud (OMS), la calidad de vida tiene que ver con la salud física de la persona, su estado psicológico, su nivel de independencia (política y económica), sus relaciones sociales y su relación con su ambiente.

Actividad

Organizado el grupo en dos equipos, lean acerca de la situación de Suiza o de Qatar y observen las imágenes que acompañan los textos.

Luego, formen equipos de cinco personas que hayan leído sobre el mismo país para elaborar en el cuaderno un esquema que muestre las condiciones naturales, sociales, económicas, políticas y culturales del país que seleccionaron.

Al terminar, comparen la información de ambos países y discutan en grupo si las condiciones que presenta cada país permiten tener una buena calidad de vida. Comenten en qué tipo de condiciones basan su opinión de que un país tiene o no buena calidad de vida.

Suiza

Nombre oficial: Confederación Suiza

País de clima templado, rodeado de altas montañas, con nieve persistente de diciembre a marzo, carente de acceso al mar y de recursos naturales modestos. Sin embargo, Suiza ha construido una democracia ejemplar y es el segundo país con el más alto índice por sus esfuerzos para la protección del ambiente. Es una república federal de 26 estados, llamados cantones. Berna es la sede de las autoridades federales, mientras que los centros financieros del país se encuentran en las ciudades de Zúrich, Basilea y Ginebra.

El poder ejecutivo lo representa el Consejo Federal formado por siete ministros, nombrados por la Asamblea Federal (poder legislativo) que es elegida por voto popular. Cada año, uno de los miembros del Consejo Federal ocupa el cargo de Presidente del País. Para la formación de leyes, es frecuente recurrir a la consulta directa al ciudadano sobre los problemas importantes de los cantones o de la Confederación.

La educación primaria es de cuatro a seis años según cada cantón y los alumnos tienen la obligación de estudiar uno de los tres idiomas oficiales, aparte del suyo, por lo que son bilingües. Al terminar la primaria, son separados por grupos de acuerdo a sus habilidades intelectuales.

Es un país altamente urbanizado, tres cuartas partes de sus habitantes residen en las ciudades y una cuarta parte en la montaña. La mitad de la población urbana del país (2 718 000 personas) vive en las conurbaciones de las cinco mayores ciudades del país: Zúrich, Ginebra, Basilea, Berna y Lausana.

Por su localización, la industria pesada tiene poco desarrollo, pero de importancia mundial es su industria química, farmacéutica y de instrumentos de precisión. Además de corporaciones multinacionales con fábricas en gran parte del mundo.

Es uno de los países más ricos del mundo según su PIB por persona, que asciende a 49 351 dólares estadounidenses. Sus ciudades Zúrich y Ginebra están consideradas entre las ciudades con mejor calidad de vida en el mundo.

Qatar

Nombre oficial: Estado de Qatar

Se ubica en la península de Qatar, hacia el este de Arabia, el territorio es pedregoso, llano y sólo con pequeñas colinas al oeste. Su clima seco desértico, con vegetación casi inexistente, obliga a sus habitantes a permanecer en las casas, ya que la temperatura alcanza los 50°C durante el verano. El invierno es más fresco pero breve. Al sur del país se encuentran los principales yacimientos de petróleo y en el Golfo Pérsico los de gas, cuya extracción provoca contaminación en el mar. Son pocos sus esfuerzos para la conservación del ambiente, por lo que ocupa el lugar 122 entre los países del mundo, en este aspecto.

Es un emirato (monarquía hereditaria) con un Consejo de ministros designado por el emir y una Asamblea Consultiva que participa en la proposición de leyes; sin embargo, una tercera parte de los miembros es nombrada por el Emir y sólo dos terceras partes por votación.

Existe un complejo educativo llamado ciudad de la educación que tiene desde escuelas de educación básica hasta universidades y centros de investigación. Su meta es lograr los índices más altos educativos mundiales, pero continuando con sus tradiciones y cultura musulmana. En todas las instituciones asisten por separado hombres y mujeres, aún en las escuelas para extranjeros. Los extranjeros, que representan el 80% de la población, pueden becarse, pero tienen que trabajar en el país por 5 años.

En Doha, la capital, vive 90% de la población; ahí surgen barrios con grandes edificios y todas las comodidades, donde vive la población qatarí y extranjeros occidentales. Los trabajadores asiáticos, que representan gran parte de la población, viven en el área industrial de Doha, en edificios llamados "campamentos", a donde son trasladados diariamente desde el trabajo.

Su economía se basa, casi en su totalidad, en la industria del petróleo y sus derivados (97% de su PIB). Como otros países árabes del golfo Pérsico, Qatar tiene leyes para los empleadores semejantes a la esclavitud moderna. Significa que los trabajadores pakistaníes o indios sólo pueden entrar al país si tienen un empleador y no pueden irse del país sin su permiso. Muchos huyen al recibir salarios mucho menores, o al tener que soportar malas condiciones de trabajo. Sus recursos petroleros son los que contribuyen principalmente a que el país tenga un PIB por persona de los más altos del mundo, 52 240 dólares.

◈ Los trabajadores asiáticos que construyen los rascacielos viven en el área industrial, en "campamentos", a los que son trasladados en antiguos autobuses escolares desde el trabajo.

◈ Uno de los pasatiempos principales de los qataries es visitar los grandes centros comerciales e ir de compras.

◈ Durante el día, los restaurantes permanecen vacíos debido a las altas temperaturas de la ciudad de Doha.

Los países y su calidad de vida

Hablar de calidad de vida, como acabas de analizar, tiene que ver con el grado de satisfacción de las necesidades de las personas o los grupos sociales. No todos los países tienen la misma calidad de vida, ya que esto depende de sus condiciones económicas, sociales, políticas, de salud y ambientales. Para saber si un grupo, una región o un país cuenta con las condiciones adecuadas que permitan una buena calidad de vida, se requiere del uso de indicadores, los cuales son medidas cuantitativas que permiten que se hagan comparaciones. A continuación, anota en el esquema siguiente las palabras: ambiental, económico, social, de salud, político y cultural, en donde esté cada aspecto representado.

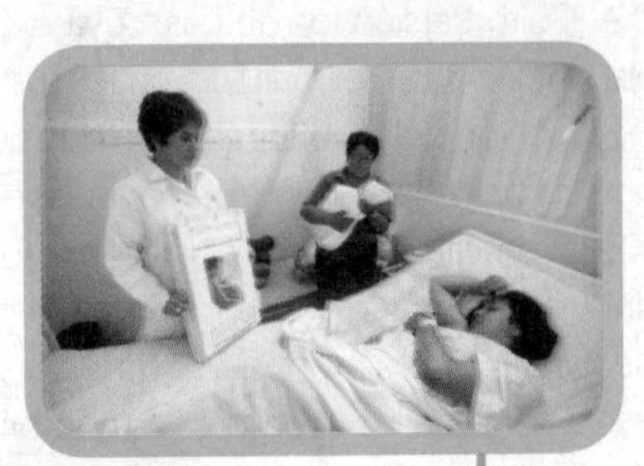

El medio natural y la calidad de vida

Cuando hay problemas ambientales, se generan problemas de salud humana que disminuyen la calidad de vida. Con el desarrollo industrial y el aumento de la población, se han generado cambios en el medio natural de todas las naciones, incluyendo las más ricas; estos cambios repercuten negativamente en el equilibrio del ambiente y del ser humano.

Una de las formas de conocer si la relación de la población con la naturaleza ha permitido la conservación de un ambiente adecuado para la calidad de vida es evaluando el nivel de desempeño ambiental de cada país, es decir, la efectividad de cada país en su esfuerzo para proteger el ambiente. Para medir su efectividad se determinaron diez categorías que puedes ver en la siguiente gráfica.

Comenten en grupo por qué es importante evaluar cada una de esas categorías.

◈ Un deficiente suministro de apoyo y saneamiento originará parásitos, enfermedades intestinales y gástricas.

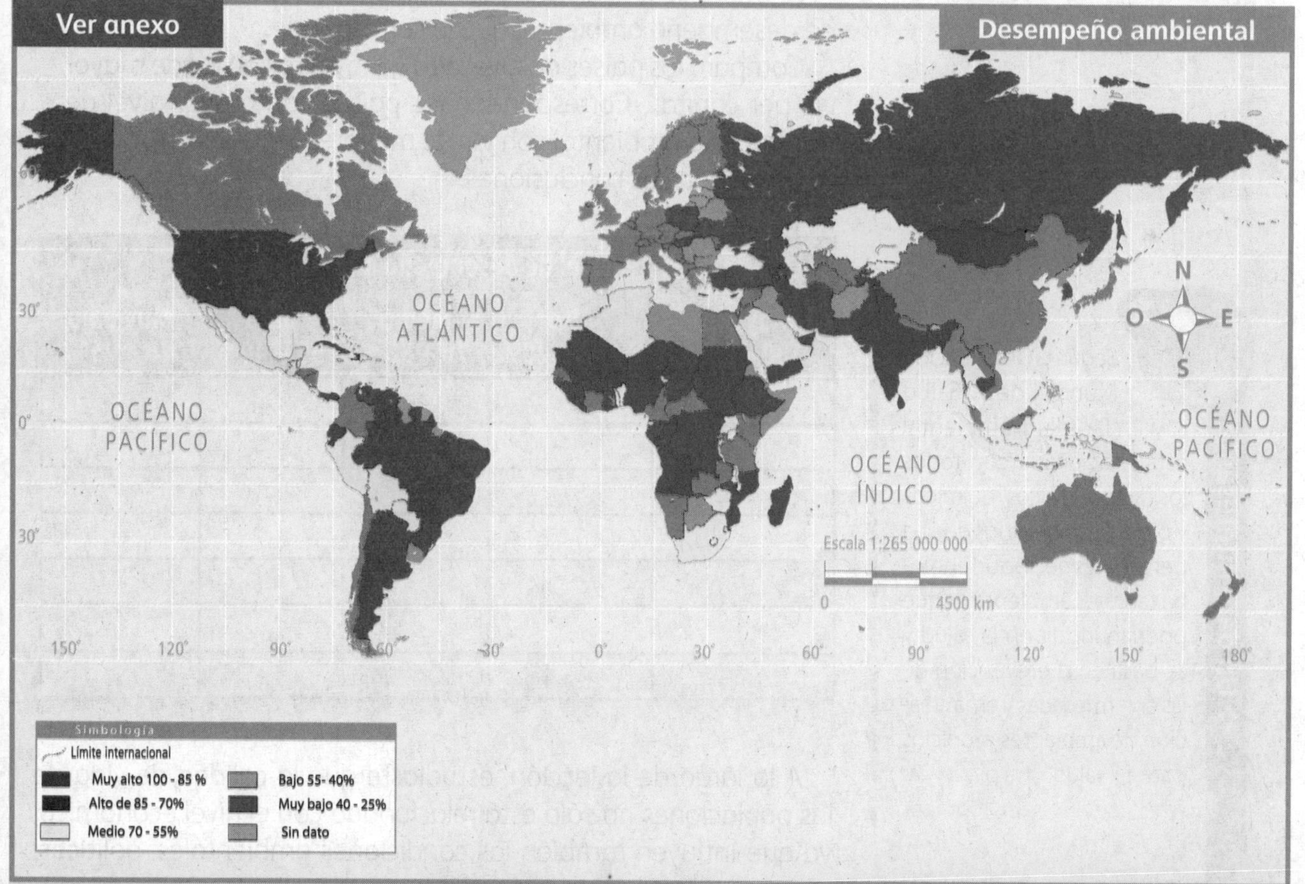

Categorías para medir el nivel de desempeño ambiental de cada nación.

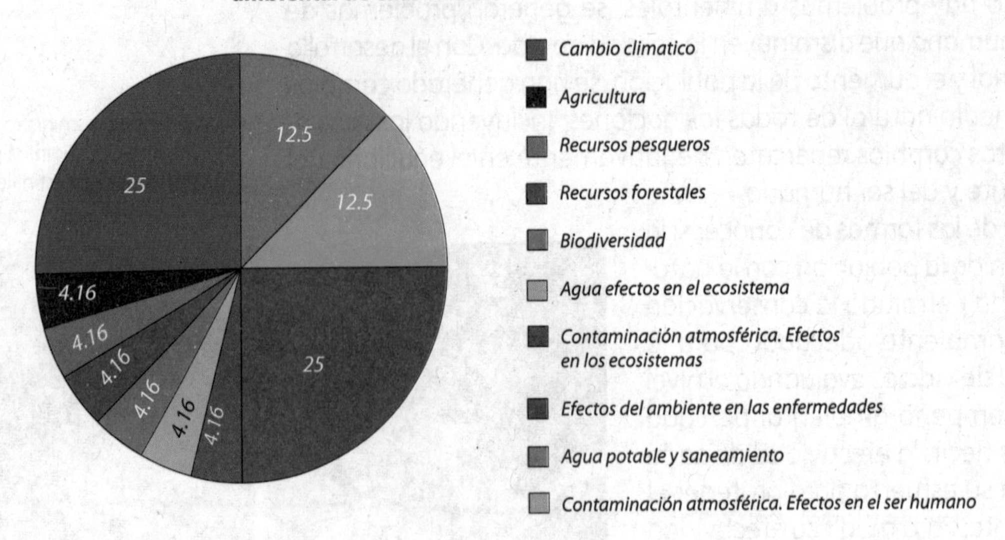

Exploremos

Reúnete con otro compañero y con ayuda de tu *Atlas de Geografía Universal*, localiza los países que analizaste en la lección anterior según su PIB per cápita bajo o alto y localízalos en el mapa de desempeño ambiental que está en el anexo, página 191.

Anota cada uno en la siguiente tabla de acuerdo con el nivel de desempeño ambiental que le corresponde.

Compara los países de nivel alto y muy alto con los de mayor PIB per cápita. ¿Corresponden los países con mayor nivel de desempeño ambiental con los de mayores ingresos?

Obtengan sus conclusiones.

Nivel de desempeño ambiental				
Muy alto 100 – 85%	Alto De 85 – 70%	Medio 70 – 55%	Bajo 55 – 40%	Muy bajo 40 – 25%

Un dato interesante

Según la Organización Mundial de la Salud (OMS), "La salud ambiental está relacionada con todos los factores físicos, químicos y biológicos externos de una persona. Es decir, que engloba factores ambientales que podrían incidir en la salud y se basa en la prevención de las enfermedades y en la creación de ambientes propicios para la salud" http://www.who.int/topics/environmental_health/es/

A lo largo de la lección, estudiaste que la calidad de vida de las poblaciones no sólo está relacionada con el nivel económico, ya que influyen también las condiciones ambientales, políticas, sociales y de salud de cada país.

Apliquemos lo aprendido

Seleccionen en equipo un país de cada continente, de los que se encuentran en la tabla que llenaron.

Elaboren gráficas de barras con los datos de alfabetización que se mencionan en la tabla de la página 139 y el nivel de desempeño ambiental de los países que eligieron, como la gráfica siguiente de Suiza:

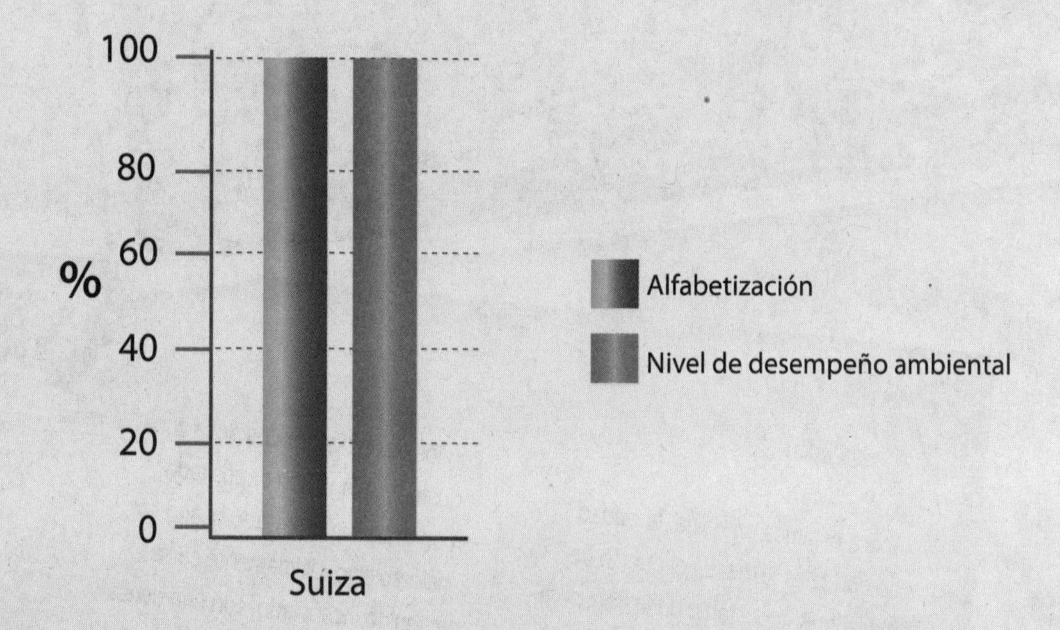

Completen las columnas comparativas consultando los datos correspondientes.

Comparen los indicadores entre países e identifiquen sus diferencias. Después, comenten cuál de los países seleccionados tiene mejor calidad de vida.

Anoten sus conclusiones e intercambien sus trabajos con otros equipos.

Durante las sesiones de esta lección analizaste varios aspectos que influyen en la calidad de vida de la población, entre ellos los factores ambientales; en la siguiente lección reconocerás las acciones que se realizan para reducir los problemas ambientales.

Querida Edith

Ahora estamos en Haina, la ciudad de donde es Jaime. Es el puerto de altura más importante de la República Dominicana, bueno eso dice él. Se encuentra al oeste de Santo Domingo y ha experimentado un extraordinario crecimiento industrial y de su población. Dice Jaime que lo malo es que tienen un grave problema de contaminación, es una de las diez ciudades más contaminadas del mundo por el descuido que se tiene con los desechos tóxicos de la zona industrial, ya que son depositados en un gran e improvisado basurero a cielo abierto. Últimamente se ha mantenido incendiado, con una densa humareda que cubre a la ciudad y que afecta a sus habitantes, por lo que se han diagnosticado miles de casos de neumonía, asma y tuberculosis.

Saludos a todos.
Daniela

¿CÓMO REDUCIMOS LOS PROBLEMAS AMBIENTALES?

❖ En esta lección explicarás algunas acciones para reducir los problemas ambientales.

Comencemos

El ser humano, con el uso inadecuado de los recursos naturales, ha alterado y provocado cambios en el planeta como lo que ocurre en Haina. En el lugar donde vives, ¿qué problema de contaminación ambiental existe?, ¿qué acciones han realizado para solucionarlo? Coméntenlo en grupo.

Actividad

Pregunta a las personas mayores qué cambios en el estado del tiempo y el clima han observado en los últimos años. Puedes utilizar las siguientes preguntas:

¿Cómo era el verano cuando era niño o joven? ¿Se sentiría más o menos calor? ¿Duraban más o menos los calores que en la actualidad? ¿Cómo era la época de lluvias: más o menos intensa? En invierno, ¿cómo eran las temperaturas? ¿Cómo consideran que son ahora?

Comenta las respuestas en el salón de clases y elabora con tu grupo un texto en el que las integres. Después, comenten cómo afectan las actividades humanas al ambiente.

❖ Provincia de Girona, Cataluña, España.

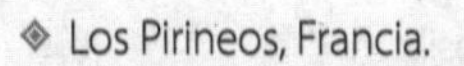

❖ Los Pirineos, Francia.

Aprendamos más

Algunos problemas ambientales en el mundo

◈ Tala de árboles en Costa Rica.

Deforestación

La deforestación es la pérdida de la cubierta vegetal de las selvas y los bosques para transformarla en terrenos agrícolas, ganaderos o urbanos. En el mundo y en México, las principales causas de la deforestación son la necesidad de tierras de cultivo y la cría de ganado, los desmontes ilegales, la extracción de madera, la expansión de vías de comunicación y los incendios forestales.

Las regiones en el mundo que más deforestación tuvieron entre 2000 y 2005 fueron América Central y Sudamérica, con 4.5 millones de hectáreas, África con un poco más de 4 millones de hectáreas y Asia con casi 3.5 millones.

◈ Río contaminado, Kabul, Afganistan.

Contaminación del agua

El agua es importante para la vida de los seres vivos, pero es un recurso limitado. Es necesario que ayudemos a conservarla y usarla adecuadamente.

La mayor parte del agua que hay en el planeta es salada y no se puede usar en actividades humanas. Casi toda el agua dulce se encuentra congelada en los polos y sólo una mínima parte está disponible para nuestro consumo.

El agua de los ríos, lagos, mantos acuíferos y mares se contamina principalmente por las actividades humanas. A tal grado que la contaminación ha llegado a algunos mares del mundo donde desde hace algunos años han aparecido las llamadas zonas muertas, prácticamente sin oxígeno ni vida animal y vegetal, debido al crecimiento desmedido de algas marinas que consumen el oxígeno del agua. Las zonas muertas más importantes se localizan en los mares Adriático, Báltico y Negro, en Europa.

◈ Ciudad contaminada, São Paulo, Brasil.

Contaminación del aire

La contaminación es un problema de las grandes ciudades y en las zonas con actividades industriales, debido a que se liberan grandes cantidades de contaminantes en la atmósfera.

Desde la Revolución Industrial, el problema de la contaminación del aire se ha convertido en una constante en muchas ciudades industriales del mundo, lo que ha causado problemas de salud a la población, como en Londres, Tokio, Sao Paulo y la Ciudad de México, durante las últimas décadas del siglo anterior. Los contaminantes afectan más la salud de niños, adultos mayores y personas con enfermedades respiratorias.

También fenómenos naturales como las erupciones volcánicas contribuyen a la contaminación del aire, ya que producen emisiones de gases, vapores y polvos.

La basura

La basura son los residuos sólidos que generamos en nuestras casas, como resultado de nuestras actividades y de los productos que consumimos. Entre ellos están los desechos orgánicos que resultan de los alimentos, así como el papel, cartón, vidrio, tela y plástico. En 2006, las zonas metropolitanas, es decir, las que tienen más de un millón de habitantes, produjeron 45 % del total de basura en México.

◈ Tiradero de basura, Brasil.

Actividad

Organícense en equipos para elaborar un mapa en el que señalen los países con áreas deforestadas. Utilicen los datos de la siguiente gráfica.

Consigan un planisferio o dibújenlo en una cartulina y diseñen un símbolo para representar la deforestación. Localicen los países que aparecen en la gráfica y resáltenlos con el símbolo de la deforestación. No olviden anotar el título al mapa.

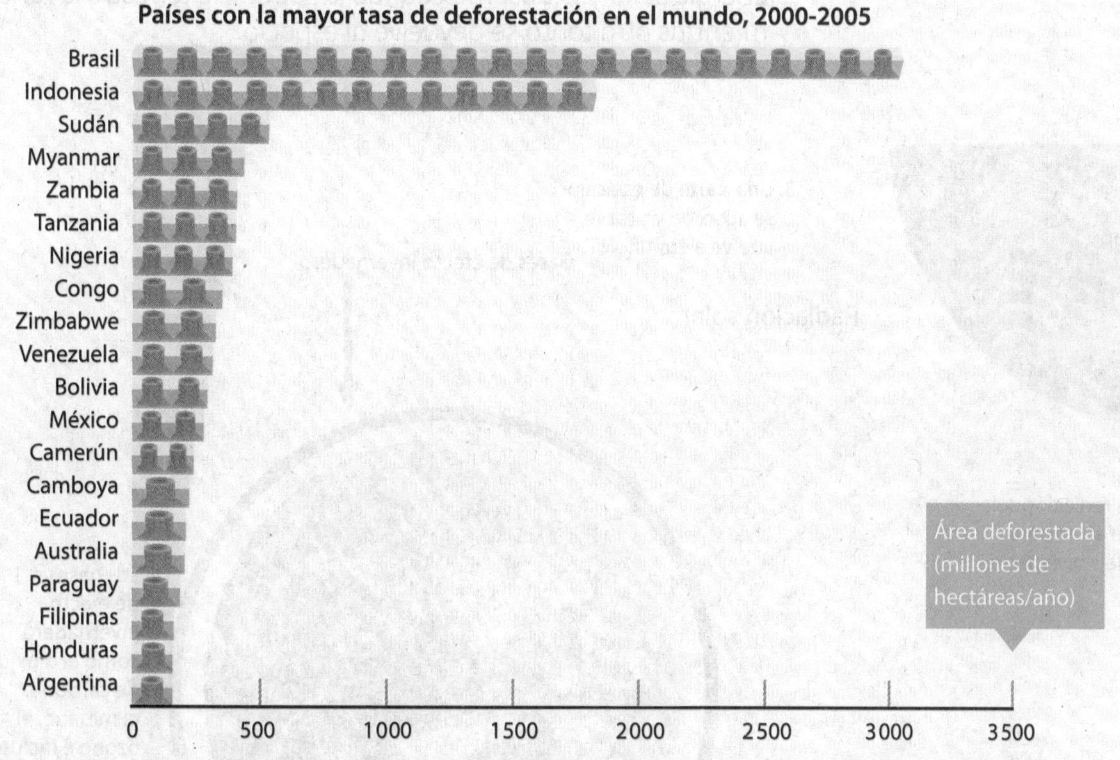

Para responder correctamente las siguientes preguntas, utilicen la gráfica, el mapa que elaboraron y los mapas de regiones naturales de las páginas 47 a 52, del Atlas de Geografía Universal.

¿Qué lugar ocupa México entre las naciones que enfrentan el problema de la deforestación?

¿Qué regiones naturales se ven afectadas por la deforestación?

¿Por qué Brasil e Indonesia tienen las mayores áreas devastadas por la deforestación?

Comenten sus respuestas en grupo.

Cambio climático

En 1988 se creó el Panel Intergubernamental del Cambio Climático (IPCC) perteneciente a la ONU, grupo que se ha dedicado a estudiar el cambio climático y que plantea que existen evidencias de que el calentamiento que el planeta ha tenido en los últimos 50 años se debe a las actividades humanas.

La función de esta institución es analizar la información científica, técnica y socioeconómica sobre el cambio climático, para entenderlo y prevenir riesgos, así como para conocer sus repercusiones, ver la posibilidad de adaptarse a él y atenuar sus consecuencias.

¿Cómo se calienta la atmósfera?

Para entender cómo sucede el cambio climático, es necesario comprender el efecto invernadero y la distancia que hay entre la Tierra y el Sol.

Si has visitado un invernadero, te habrás dado cuenta de que la temperatura es más alta adentro que en el exterior, eso se debe a que los vidrios de su estructura permiten pasar los rayos solares, pero no permiten que se escape esta energía fácilmente. En la Tierra el efecto de los vidrios lo realiza la atmósfera, que deja pasar la energía solar y la absorbe cuando la superficie terrestre la refleja, mientras otro tanto se devuelve al espacio.

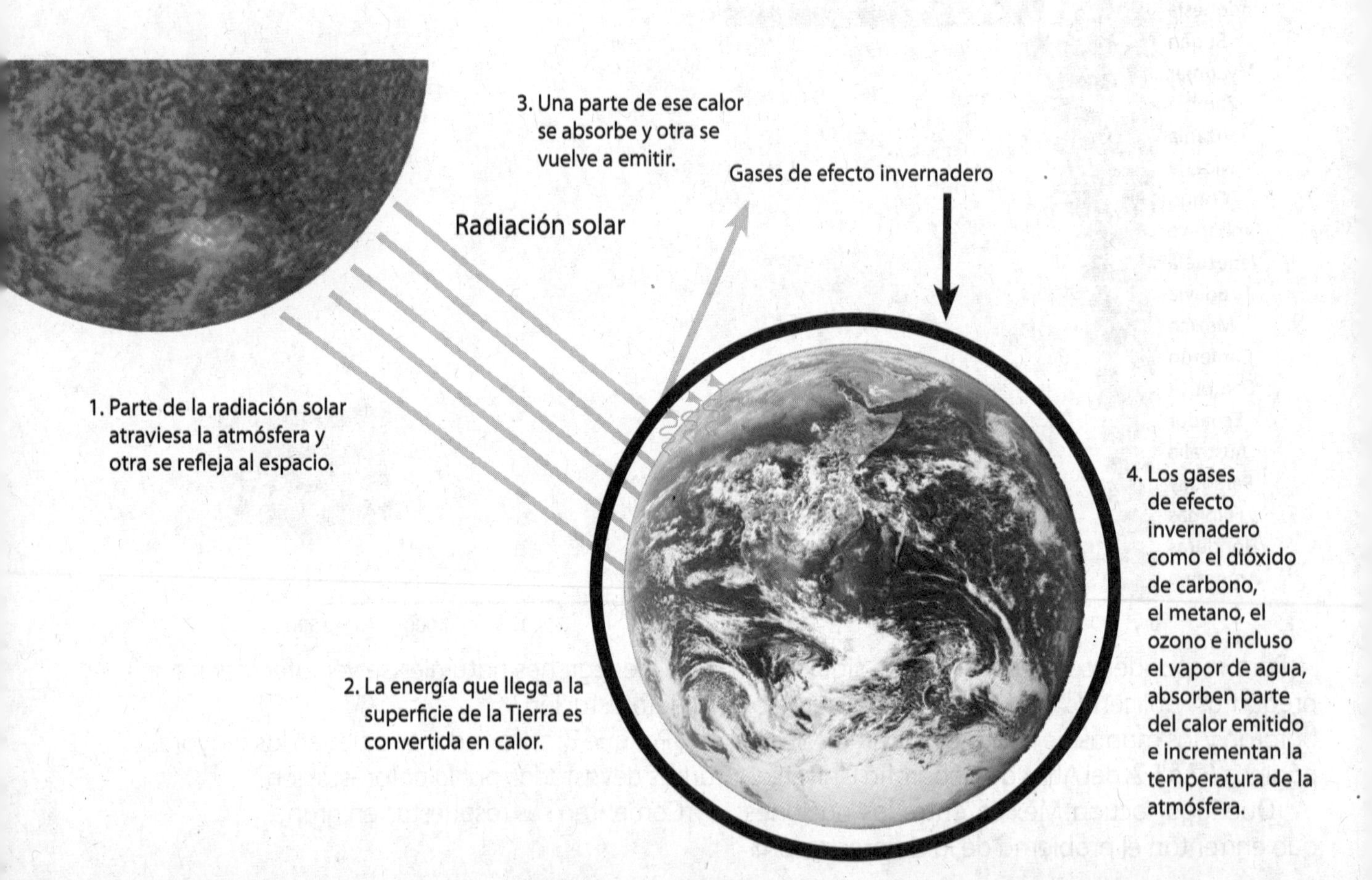

Observa la siguiente gráfica:

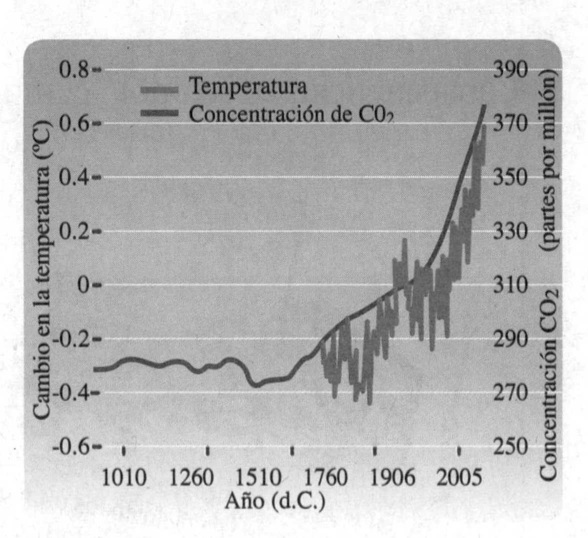

¿Qué sucede con la temperatura si aumenta la concentración de dióxido de carbono?

Comenta tu respuesta con tus compañeros.

Los ecosistemas, por ejemplo, los bosques y selvas, participan en el flujo de carbono, ya sea liberándolo o capturándolo.

La captura de dióxido de carbono se da cuando la vegetación absorbe este gas durante la fotosíntesis. Pero cuando la vegetación es removida o quemada para destinar el terreno a la agricultura o la ganadería, gran parte del carbono que tenía almacenado se convierte en dióxido de carbono y es liberado. Este proceso de deforestación ha aumentado a nivel mundial, por lo que los ecosistemas también son una fuente importante de este gas.

A nivel mundial, la emisión de dióxido de carbono se ha incrementado por el consumo de combustible fósiles, como el petróleo y el carbono, que se emplean en la industria y el transporte.

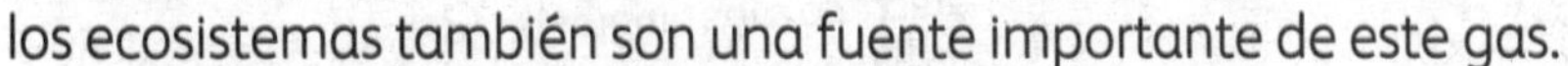

Actividad

Observa el mapa de Emision mundial de dióxido de carbono, 1900-1999, que está en el anexo, página 192.

Con la información del mapa completa la tabla, después analiza la información.

Países industrializados		Países en desarrollo	
Países y continentes	Porcentaje	Países y continentes	Porcentaje
Total		Total	

¿Qué región del planeta tiene un porcentaje mayor de emisión de dióxido de carbono?

¿Qué país tiene el mayor porcentaje?

¿Cuál consideras que es el porcentaje de México?

Comenta tus respuestas en grupo.

Consecuencias del cambio climático

En el Ártico ha desaparecido cerca de 20% de la capa de hielo en los últimos 30 años. En el continente Antártico se han registrado deshielos importantes.

Las especies animales y vegetales también han sido afectadas, por ejemplo, la reducción de plataformas de hielo en la Antártida ha afectado a los pingüinos Adelia, que dependen de ellas para cazar. La temperatura promedio se ha elevado casi 5.5 °C en cincuenta años, lo cual ha reducido la población de pingüinos de 320 parejas con crías en 1990 a 54 en 2004. Los osos polares en la bahía de Hudson, en los límites de América del Norte, no cubren sus necesidades nutricionales, ya que el periodo en el que cazan focas se ha reducido, debido a que las plataformas de hielo desde las que cazan se fracturan al menos tres semanas antes de lo que habitualmente ocurría.

Como consecuencia del deshielo en los polos y los glaciares que desembocan en el mar, el nivel de los océanos se ha elevado aproximadamente de 10 a 20 centímetros. Debido a esto existen numerosas ciudades en el mundo ubicadas en zonas costeras y muchas personas son susceptibles de inundarse.

El deshielo no sólo ha ocurrido en los polos, sino también en las zonas frías de hielos perpetuos que se encuentran en las zonas de alta montaña. Los glaciares de los Alpes suizos perdieron un tercio de su superficie entre 1850 y 1980. En México, los glaciares de los volcanes Iztaccíhuatl, Popocatépetl y Pico de Orizaba se han reducido. Se considera que, si continúa este proceso, es posible que desaparezcan por completo en menos de 30 años.

Exploremos

Observa el mapa de la página 79, del *Atlas de Geografía Universal*, haz en tu cuaderno cinco listas sobre el deterioro ambiental: de ríos y lagos; en centros de población, deforestación, radioactividad y desertificación, anota en cada uno los países que tienen estos tipos de deterioro.

Comenta con tus compañeros cuál es el país y el continente con un mayor deterioro ambiental.

Apliquemos lo aprendido

Intégrate a un equipo. Preparen una campaña en su escuela para dar a conocer a la comunidad escolar los problemas ambientales que hay en el planeta, cómo afectan al ser humano y qué pueden hacer para disminuir sus efectos. Elaboren un periódico mural con recortes de periódicos y revistas. Colóquenlo en un lugar visible. Después presenten su trabajo a la comunidad escolar, puede ser en una ceremonia cívica. Elaboren carteles que pueden colocar en el edificio escolar con expresiones como las siguientes:

- Cuando visites un bosque o una selva respeta las plantas y animales.
- Realiza trabajo voluntario para reforestarlos y mantenerlos limpios.
- Reutiliza el agua que juntaste de la regadera y de lavar las verduras, para regar las plantas o el jardín.
- Recolecta agua de lluvia para regar las plantas, limpiar la casa o el escusado.
- Adquiere sólo lo que necesites; recuerda que no vales por lo que tienes, sino por lo que eres.
- Prefiere productos con empaques fabricados con materiales reciclables, con ello contribuyes a que se consuman menos recursos naturales.
- Apaga la luz cuando salgas de una habitación o del salón de clases.
- Apaga y desconecta los aparatos eléctricos que no utilices.
- Usa preferentemente bicicleta y transporte público, así reducirás el consumo de combustible.

◈ La bicicleta es un transporte que no contamina.

◈ Cuidar el ambiente nos beneficia a todos. Sé productivo y aprovecha de manera sustentable los recursos a tu alcance.

¿Has pensado qué puedes hacer para contribuir a reducir la emisión de gases de efecto invernadero?

Les sugerimos otras medidas que pueden realizar:

- Con ayuda de su maestro, siéntense formando un círculo en el salón.
- Cada uno tome una hoja blanca y anote en un lado un efecto del cambio climático y en el otro una acción a realizar para ayudar a reducir la emisión de gases de efecto invernadero.
- Al terminar, cada uno lea lo que escribió.
- Intercambien sus puntos de vista y busquen coincidencias.
- Realicen un cartel con todos los efectos y las acciones y pongan un plan de acción para ponerlos en marcha.
- Organicen en su grupo o con su familia, una campaña de reforestación en la escuela o en el lugar donde vives, así contribuirás a aumentar la cubierta vegetal que captura parte del dióxido de carbono que hay en la atmósfera.

¿Qué tal, primo Emilio?

Andando por las calles de Valdivia, al sur de Santiago, conocí una persona que me contó acerca del peor terremoto de la historia que se haya registrado. Me dijo que ocurrieron 9 terremotos fuertes en 16 días, pero el más intenso rebasó los 9 grados en la escala de Richter el día 22 de marzo de 1960. El sismo produjo un maremoto que afectó localidades hasta de Japón, al otro lado del Pacífico. Incluso provocó la erupción del volcán Puyehue aquí en Chile, ¡Imagínate!

Me alegra que aún no vivieras en Chile en esa época. Espero verte pronto.

Un fuerte abrazo.
Sofía

LOS RIESGOS DE NO PREVENIR

❖ Con el estudio de esta lección distinguirás los tipos de riesgo, localizarás las principales zonas de riesgo en el mundo y reconocerás la necesidad de realizar medidas que se requieren para reducir los efectos de los desastres.

Comencemos

En cuarto grado estudiaste los desastres y la distribución en México de fenómenos potencialmente destructivos. Ahora vas a aprender la variedad de riesgos naturales y sociales que existen, y verás su distribución a escala mundial. También reconocerás la necesidad de prevenirlos y expondrás sus consecuencias, como las que ocurrieron en Valdivia, Chile. ¿Recuerdas qué proceso ocasiona que ésa sea una zona sísmica y qué placas tectónicas intervienen en ese proceso?

❖ Consecuencias trágicas en Concepción, Chile, del temblor del 28 de febrero de 2010.

Actividad

Observa las imágenes, selecciona una y describe en tu cuaderno lo ocurrido, como si fueras un cronista de tu ciudad o pueblo que trabaja en la estación de radio para comunicar las novedades y asuntos de interés para tu comunidad.

Considera que tienes dos minutos (una página) para preservar la información que observas en la imagen que seleccionaste. Puedes guiarte con los siguientes puntos:

- El fenómeno natural o social que ocasionó el desastre.
- La fecha y el lugar donde se presentó.
- Las consecuencias que produjo en el ambiente, las personas y los bienes de éstas.
- Las medidas que consideras que debe tomar la población en caso de que ocurra uno de esos eventos.
- El encabezado de tu reportaje.

En grupo, lean algunos de sus reportajes; al final mencionen si los desastres fueron causados por acciones sociales o naturales.

Para entender qué es un desastre, es necesario conocer el significado de los siguientes conceptos.

Riesgo
Daños o pérdidas que una comunidad puede sufrir como consecuencia de su vulnerabilidad cuando se presenta un peligro o amenaza.

Vulnerabilidad
Es la facilidad con la que una población, sus viviendas, infraestructura y sus bienes en general, dadas su localización, fragilidad y preparación, pueden sufrir daños si se presenta una amenaza o peligro.

Desastre
Es la situación en que la población vulnerable sufre severos daños por el impacto de una amenaza o peligro, enfrentando pérdidas humanas, económicas y ambientales que rebasan la capacidad para enfrentar la situación con los propios recursos de la comunidad.

Amenaza o peligro
Es un fenómeno natural o una acción social cuyo desarrollo puede provocar daños en una zona determinada. Las amenazas de origen natural son los sismos, ciclones tropicales y sequías, y las de origen humano son el manejo inadecuado de sustancias químicas, desechos tóxicos, zonas de prueba nuclear, entre otras.

Por su origen los riesgos pueden ser:

Naturales. A su vez se clasifican en riesgos geológicos (vulcanismo, sismicidad, deslizamientos de tierra y tsunamis) y riesgos hidrometeorológicos (ciclones tropicales, tormentas severas, inundaciones, sequías y heladas).

Humanos. Son provocados por los seres humanos, ejemplos: incendios, explosiones, fugas tóxicas, epidemias, contaminación, entre otros.

Los desastres, por lo general, producen efectos perdurables como la pérdida de vidas humanas. Además de los enormes daños a la propiedad, a los servicios y a la infraestructura, las consecuencias emocionales que dejan en las personas que los sufren y en la ecología son incalculables. El problema que más se presenta es la falta de preparación de la población para enfrentar los desastres.

Lee las notas de los desastres más recientes.

de enero de 2001, India. El estado Gujarat, fue devastado por el peor -rremoto en la historia de ese país. Co- -ó la vida de más de 40 mil personas y -entos de miles de damnificados. Tuvo -na intensidad de 7.9 en la escala de Ri- -hter. Gujarat es el segundo estado más -ndustrializado de India, ahí se asientan -muchas refinerías y plantas petroquímicas, -el puerto más activo y muchas fábricas textiles y de acero, por lo que la economía del país sufrió una fuerte caída.

2003, Bolivia. Tormentas torrenciales causaron el desbordamiento del río Chapare, cerca de la ciudad de Villa Tunari, a 650 kilómetros al sureste de la capital La Paz. Las inundaciones provocaron la muerte de 500 personas y se reportaron 50 desaparecidos.

26 de diciembre de 2004. Ocurrió un terremoto en el océano Índico, Indonesia. Su intensidad llegó a 9.1 grados Richter. Produjo una cadena de tsunamis que desaparecieron del mapa islas, playas y poblaciones que quedaron sumergidas en una densa capa de lodo, agua y más de 250 mil cadáveres. Las grandes olas afectaron a Indonesia, Tailandia, Sri Lanka, India, Bangladesh, Burma, Malasia, Islas Maldivas, Somalia, Kenia, Tanzania e Islas Seychelles. Algunas olas alcanzaron 5 metros de altura y sus efectos tardaron dos horas en llegar a las costas de India, y seis a Somalia y Kenia.

Agosto de 2005, Estados Unidos. El huracán Katrina levantó marejadas que arrasaron las zonas costeras, inundó la ciudad de Nueva Orleans y afectó la extracción de gas y petróleo en el golfo de México. Los efectos de Katrina ocasionaron la muerte de 1 500 a 1 800 personas y decenas de miles quedaron aisladas durante varios días sin que las autoridades pudieran brindarles auxilio.

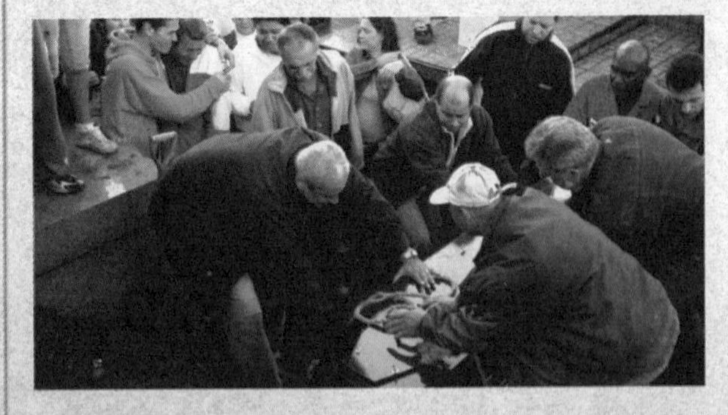

17 de julio de 2007. Un jet de la aerolínea brasileña TAM se estrelló durante el aterrizaje en el Aeropuerto de Congonhas, en São Paulo. Hasta ahora es el peor accidente aéreo en Brasil. Murieron 199 personas: todas las que estaban a bordo (186) y otras 13 en tierra.

9 de julio de 2007. Hubo fugas en el antiguo oleoducto de una provincia de Pyongyang, en Corea del Norte, lo cual atrajo a residentes locales a la búsqueda de combustible. El óleo se encendió y explotó matando alrededor de 110 personas.

2008. Las áreas de pastoreo al sureste de Etiopía tuvieron grave escasez de lluvias. Por ello, agua y pastura no se suministran al ganado, generando un deterioro en la producción pecuaria. Se anunció que casi un millón de personas requieren ayuda humanitaria urgente, mientras que aproximadamente 8 millones de personas afectadas crónicamente por la inseguridad alimentaria son ya auxiliadas por el Programa de Seguridad Productiva.

Intégrate a un equipo y seleccionen una de las notas.

En el cuaderno, anoten un título o encabezado a la nota, el tipo de desastre que describe, los elementos vulnerables, las amenazas y las afectaciones ambientales, sociales y económicas. Pueden hacerlo usando un esquema como el siguiente:

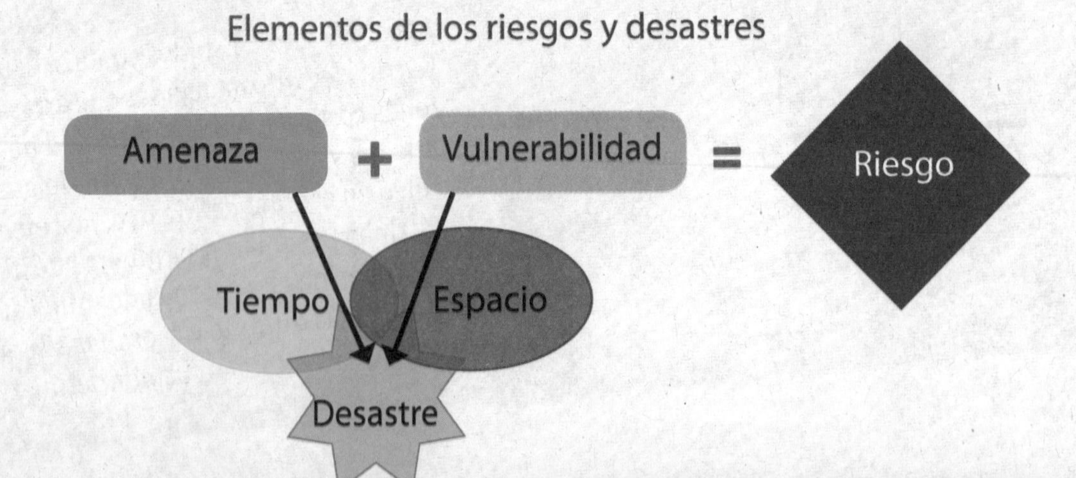

Utilizando su *Atlas de Geografía Universal*, localicen los lugares donde se presentó el desastre que seleccionaron.

En una hoja blanca, dibujen un símbolo para el tipo de desastre descrito en su nota y recórtenlo. También anoten y recorten las afectaciones que ocasionó el desastre.

En grupo, sobre un planisferio mural, cada equipo pase a localizar con el símbolo dibujado el desastre de la nota que seleccionaron. Peguen también las afectaciones provocadas.

Expliquen cuáles fueron el peligro y las zonas afectadas. Si es posible, fotografíen su mapa e impriman la foto para elaborar un folleto que presentará los tipos de desastres, sus consecuencias y la necesidad de prevenirlos.

Comenten: ¿qué tipo de desastre provocó más muertes? ¿Cuál ocasionó más pérdidas económicas?

Zonas de riesgo en el mundo

Para conocer la distribución de los riesgos, es necesario ubicar las zonas de peligro, aquellas donde se desarrollan los fenómenos que pueden ocasionar daños, como un volcán o una industria química. Por otro lado, también es indispensable localizar las zonas vulnerables, aquellas donde se asienta la población, para planear las condiciones del asentamiento (viviendas, carreteras, entre otras), de modo que convivan de mejor manera con los fenómenos naturales y humanos que representan amenaza.

Una región con alta concentración de población y con una mala planeación en su desarrollo territorial es más vulnerable que un lugar con baja densidad porque si ocurriera un desastre, la cantidad de personas afectadas sería mayor en la más densamente poblada. También las ciudades, pueblos, colonias o barrios más pobres son más vulnerables por las malas condiciones del lugar y de las viviendas, además de que en general están menos preparadas para actuar en caso de emergencia.

Un dato interesante

Frente a los desastres de origen natural ocurridos durante el primer semestre de 2009, Europa tuvo la mayor cantidad de daños materiales, aunque fue en Asia donde se presentó el mayor número de desastres, y fue también en este continente donde hubo la mayor cantidad de pérdidas humanas (más de 35%) y de personas afectadas (70% de la población afectada en el mundo). Por supuesto, África fue el continente que menores pérdidas económicas presentó, aunque fue el segundo continente donde ocurrieron más desastres.

Fuente: http://cred.be/sites/default/files/CredCrunch_18.pdf (Consultado el 8 de marzo de 2010)

Mura Tuwa, Sri Lanka. Un carpintero parado frente a su puerta después del tsunami que ocurrió el 28 de diciembre de 2004.

◈ Puerto Progreso, Yucatán. Consecuencia de un huracán en junio de 2006.

Un ejemplo de esto es la zona costera de Cancún, en México, donde hay un importante desarrollo turístico y ha aumentado considerablemente la población. Las necesidades de vivienda han llevado a un número cada vez mayor de personas a habitar viviendas construidas con materiales precarios, como láminas y cartón, que las hacen más vulnerables al impacto de los huracanes. Una situación semejante se presenta en las playas de Indonesia.

Exploremos

ver anexo

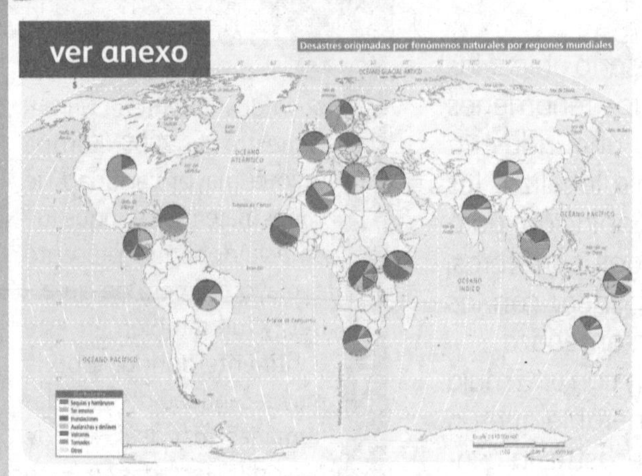

Observen el mapa del anexo, página 193 y comenten si los principales desastres de cada región coinciden con la distribución de desastres representados en el mapa que hicieron en la actividad anterior.

Anoten los desastres y las zonas que no coinciden y mencionen a qué consideran que se debe.

Observen las gráficas y en equipo analicen aquélla que corresponde con el desastre de la nota que eligieron en la actividad anterior. Los equipos que trabajaron el tema de desastres de origen antrópico o humano, ahora deberán hacerlo sobre uno de los siguientes fenómenos perturbadores: temperaturas extremas, deslizamientos de tierra y plagas de insectos.

Incidencia e impactos por tipo de desastre de origen natural ocurridos en el primer semestre del 2009*

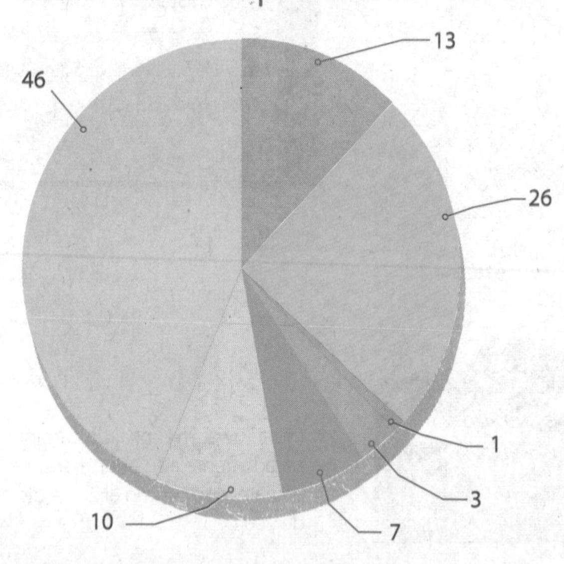

◈ Frecuencia del evento

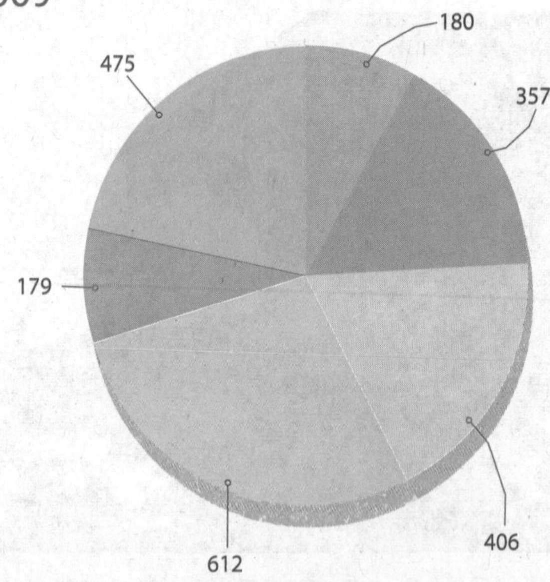

◈ Número de muertos

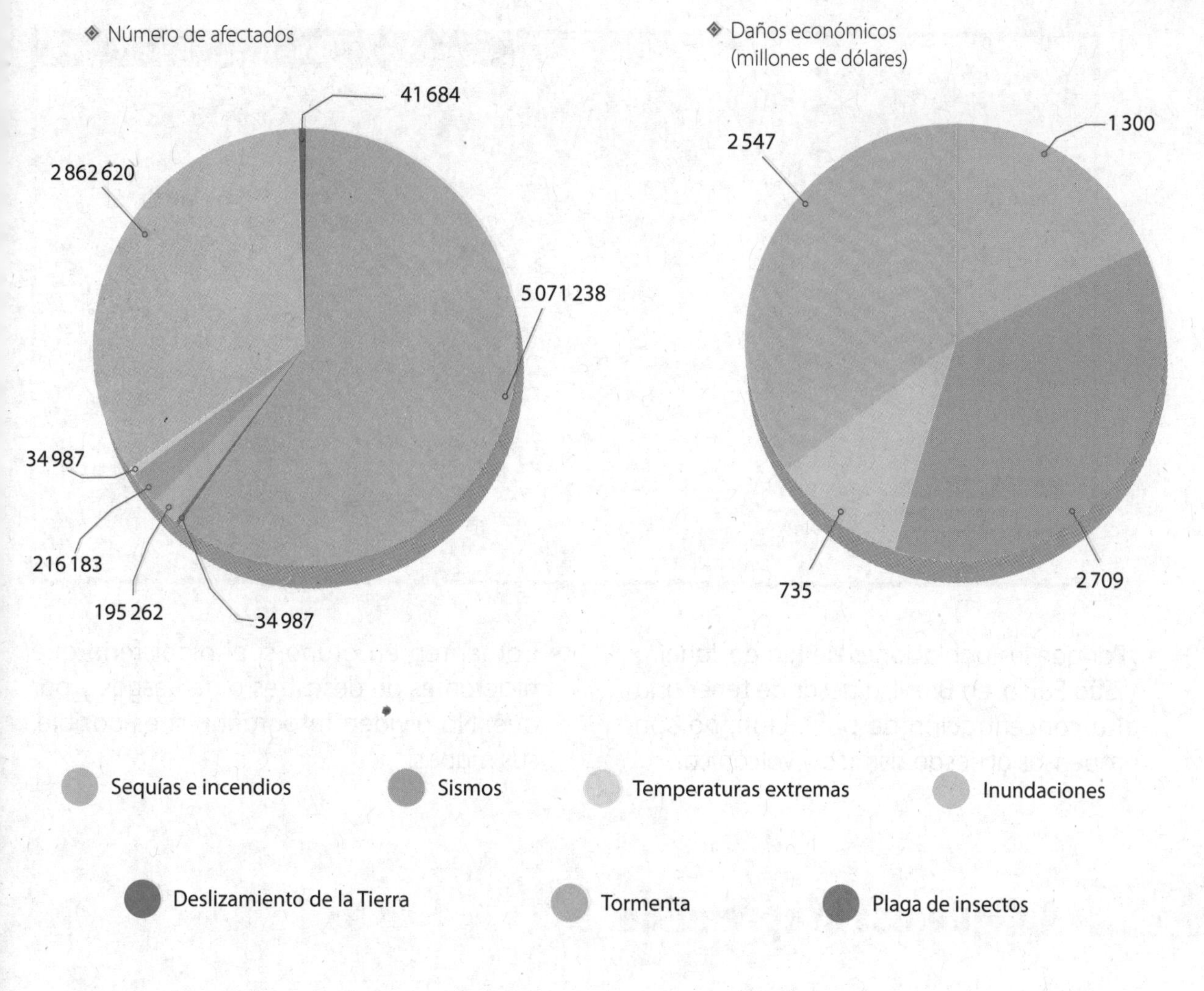

* Centro de Investigación en la Epidemiología de los Desastres, 2010 (Center for Reserch on the Epidemiology of Disaster).

- En el cuaderno, describan la frecuencia del desastre que eligieron y el número de muertes, afectados y daños económicos que ocasiona.
- En grupo, comparen sus descripciones y determinen cuál es el peor de los desastres y por qué.
- En parejas, sobre papel transparente, calquen el mapa distribución de la población mundial de la página 62 de su *Atlas de Geografía Universal*.
- Coloquen el mapa calcado sobre el mapa de desastres originados por fenómenos naturales (en el anexo) y marquen las zonas de mayor riesgo frente a este tipo de desastres en el mundo, que serán las de mayor concentración de población.
- Respondan: ¿Qué tipos de riesgo enfrentan más Europa y Asia? ¿En qué región se enfrentan principalmente tormentas y sequías relacionadas con hambrunas?
- Sobrepongan su mapa calcado y marcado encima del mapa de zonas sísmicas y volcánicas de la página 23 del atlas.
- Analicen los mapas sobrepuestos y enlisten en su cuaderno las ciudades del mundo con 10 millones de habitantes que están expuestas a un riesgo sísmico y volcánico. Ubíquenlas en el siguiente planisferio.

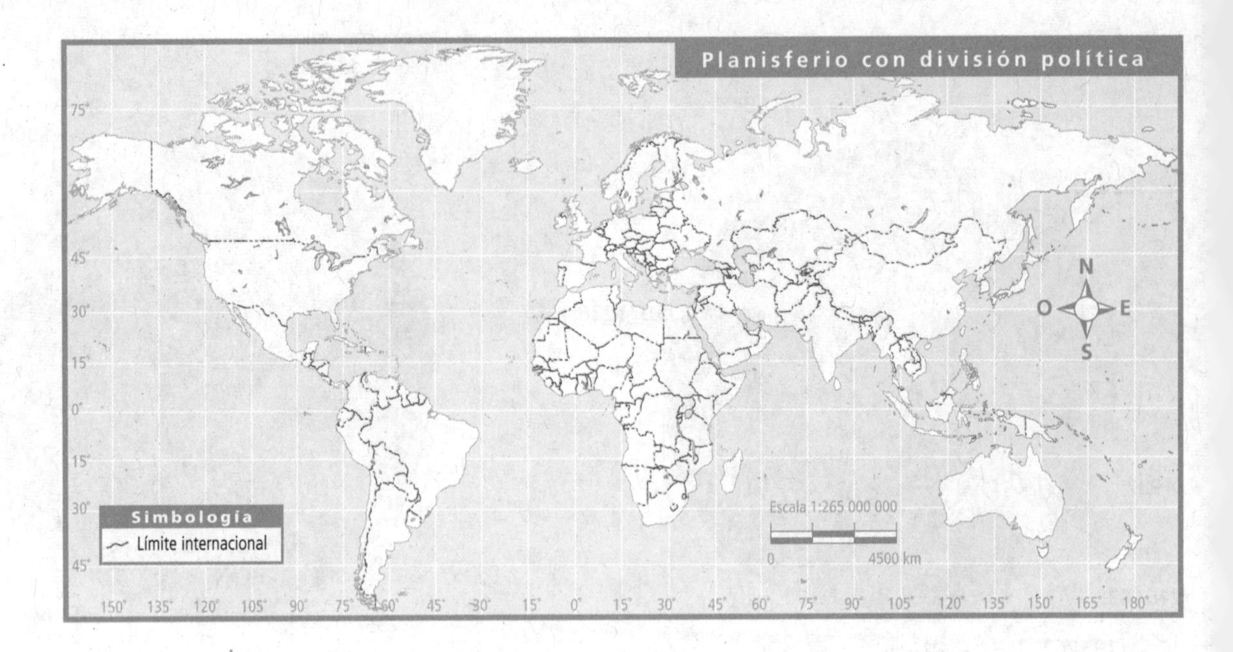

- ¿Por qué las poblaciones de Río de Janeiro y São Paulo, en Brasil, a pesar de tener una alta concentración de población, no son propensas al riesgo sísmico y volcánico?
- Comenten en grupo si el planisferio que hicieron es de desastres o de riesgos y por qué. No olviden fotografiar, si es posible, sus mapas.

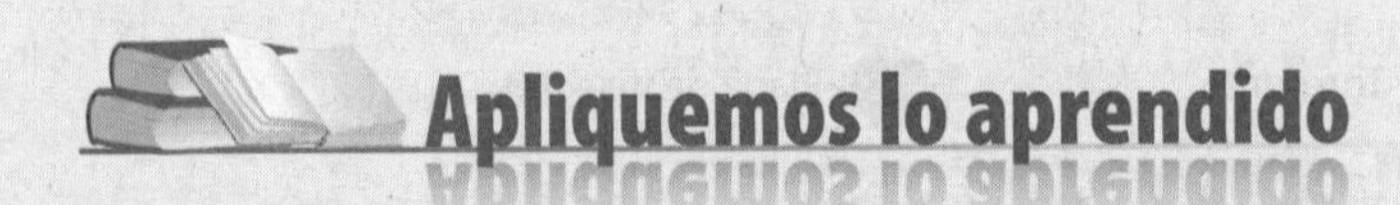

Apliquemos lo aprendido

La vulnerabilidad de la población se relaciona con la preparación que ésta tiene para enfrentar antes, durante y después, el impacto de un evento natural o humano. Con frecuencia, las personas no conocen los riesgos que les rodean y tampoco consideran la probabilidad de que sobrevenga algún desastre en su comunidad; por lo tanto, no cuentan con la planeación y preparación para mitigar los daños que pudiera causarles.

Así, cuando el desastre se presenta, suele predominar la confusión, la desorganización y la falta de recursos económicos y prácticos para salvar la vida. Una vez que ha pasado el fenómeno catastrófico imperan los daños físicos, emocionales y económicos; la población intenta contrarrestar estos efectos mediante acciones no planeadas que pueden atentar contra su bienestar, como regresar a su vivienda para rescatar algunos bienes pese a que ésta se halle en una zona todavía peligrosa, o beber agua contaminada.

Es importante saber cómo vivir en una zona de riesgo y qué hacer en caso de que se presente un desastre. Actualmente, en muchos lugares públicos hay letreros titulados, por ejemplo, "¿Qué hacer en caso de sismo?" o "¿Qué hacer en caso de incendio?".

También se realizan simulacros en las escuelas y oficinas como medidas de prevención.

Una de las formas para prevenir los desastres es conocer y trazar mapas de peligros, ubicando fenómenos naturales y humanos que pudieran amenazar una comunidad. Se deben indicar la distribución geográfica y la probabilidad de ocurrencia, además de informar sobre el alcance dentro del territorio. También es importante que se representen las rutas de evacuación y los lugares o áreas de seguridad a las cuales se puede dirigir la población afectada en caso de emergencia.

- Elabora con tus compañeros un folleto de difusión sobre los riesgos que enfrentamos y la necesidad de prevenirlos.
- Incluyan los teléfonos y las páginas de Internet de protección civil donde pueden llamar para recibir más información acerca de la prevención, así como el teléfono de los bomberos para casos de emergencia.
- Con ayuda de su profesor, distribúyanlos en la escuela y su comunidad.
- Finalmente, luego de lo estudiado en esta lección respondan por qué es importante prevenir desastres.

Qué hacer en:

Querida Karina:

Como sé que eres activista ecológica, te envío esta postal del río considerado el más contaminado del mundo, el Citarum. Alrededor de él se asienta Yakarta, Indonesia, una capital muy poblada y casi 500 fábricas de textiles que vierten desechos a sus aguas.

Los antiguos pescadores ahora recogen los residuos para intentar limpiar el río y ganan algo de dinero vendiéndolos. Pero no te desanimes, afortunadamente esta enorme contaminación no ha afectado la sección media y alta del río, cerca de donde nace. No pude visitar esas partes bonitas, pues sólo estuve dos días en la isla de Java, de paso para Singapur, donde veré a nuestra buena amiga Ana.

Espero que nos veamos tan pronto como regrese.

Sebastián

PROYECTO: RESCATEMOS NUESTRO RÍO

❖ Con el estudio de esta lección realizarás un proyecto que aborde un problema característico del mundo actual.

Comencemos

En esta lección te presentamos un problema ambiental que se desarrolla en el espacio geográfico de México y que es representativo de lo que ocurre en muchos lugares del mundo, como en la isla de Java que se menciona en la postal.

Sigue como guía el proyecto que a continuación se muestra y a la par desarrolla un proyecto ambiental con tu grupo escolar, de acuerdo con sus necesidades e intereses.

En grupo, elaboren un mapa mental donde expongan las causas de la grave contaminación del río Citarum y qué otros elementos del ambiente son afectados.

❖ El río Citarum es el más contaminado del mundo, 84% del agua está contaminada con detergente y desechos sólidos.

Actividad

Lee la situación general de un río que alimenta el territorio sur de México, en el estado de Oaxaca.

Como ves, de acuerdo con la situación que plantea la historia, el principal problema detectado es la contaminación del río Bicusiná.

Definan su proyecto

En grupo, identifiquen los problemas de contaminación que hay en su localidad, enlístenlos y elijan el que consideren más grave y cercano a ustedes.

Anoten en un pliego de papel el ambiente o lugar contaminado que eligieron. Dejen espacio en el papel para anotar las acciones que deberán realizar a lo largo de su proyecto.

El tío de Melina y Andrea les contó la historia del río Bicusiná, cómo lo disfrutó cuando era niño y la tristeza que siente ahora al verlo contaminado. Al día siguiente, Melina y Andrea le platicaron esa historia a la maestra y a su grupo. Entonces, la maestra propuso al grupo que elaboraran un proyecto para salvar el río. Les sugirió que investigaran los principales problemas que lo afectan y cómo podrían ayudar a rescatarlo. Entre todos decidieron llamar a su proyecto "Rescatemos nuestro río".

Planeen su proyecto

Una vez que anotaron el lugar contaminado que van a trabajar, traten de responder:

¿Qué podemos hacer para ayudar a rescatarlo o limpiarlo? Entre las principales tareas que pueden realizar para ayudar a rescatarlo están:

Ubicar en un mapa el lugar contaminado

Investigar el tipo de contaminación que sufre, las causas de ésta, sus consecuencias, las zonas donde se presenta el problema más gravemente, las personas responsables de su contaminación, las autoridades y organizaciones que les pueden apoyar en su recuperación.

Definir las fuentes de información y los lugares en donde están esas fuentes.

Investigar el tipo de contaminación

Organícense en equipos y asignen tareas.

El trabajo en equipo les ayuda a ser productivos. Intercambiar información y encontrar formas más efectivas de realizar las actividades, les ayudará a concluir el proyecto en menos tiempo.

Definan qué hará cada equipo y cada miembro del equipo, en qué tiempo lo van a hacer y los productos o trabajos que esperan obtener (mapas, tablas, gráficos, carteles, folletos, maquetas, murales, videos, álbumes fotográficos y presentaciones en PowerPoint); de esta manera harán su planeación del proyecto.

Los alumnos decidieron realizar el proyecto y para comenzar trataron de conocer mejor su localidad. Se organizaron en equipos y se distribuyeron el trabajo de la siguiente manera:

El equipo 1 consultó las páginas 100 y 101 del *Atlas de México* para localizar Juchitán en Oaxaca. Enseguida, investigó sus características geográficas, climáticas y naturales: relieve, tipos de clima, vegetación, fauna y ríos, entre otros, que pudieran estar influyendo en la contaminación o que pudieran ser afectadas por la misma. A continuación elaboró un mapa de Oaxaca en el que señaló Juchitán, dibujó el río Bicusiná y algunas otras características como el tipo de vegetación y ríos cercanos.

El equipo 2 investigó las características de la población: el número de habitantes y su distribución, y elaboró un mapa de las zonas donde se concentra la población alrededor del río, y señaló aquéllas que podrían estar arrojando más sustancias y objetos contaminantes a las aguas de río.

El equipo 3 investigó las actividades económicas que se realizan y las clasificó de acuerdo con el sector al que pertenecen. También ubicó en mapas aquellas que podrían provocar contaminación sobre el río, como industrias, fábricas y zonas de cultivo que usan pesticidas y fertilizantes.

Cada equipo presentó su trabajo ante los padres de familia para que conocieran cómo las características geográficas (físicas, sociales y económicas) de la localidad influían sobre la contaminación del río Bicusiná y al mismo tiempo se veían afectadas. De este modo podrían tomar decisiones que contribuyeran a encontrar soluciones.

¡A investigar!

Una vez asignadas las tareas, un equipo va a investigar las características físicas de su localidad y a explicar con textos, esquemas o imágenes, la manera como pueden influir sobre el problema de contaminación ambiental que eligieron, así como las afectaciones que la vegetación, la fauna, el clima o el suelo han presentado a causa de la contaminación. Por ejemplo, si existe un enorme basurero a cielo abierto, cercano a tierras de cultivo, en una zona donde llueve mucho y hay pocos árboles, entonces la lluvia puede arrastrar las sustancias tóxicas y la basura hacia el interior del suelo y contaminar el agua subterránea constantemente. También puede llevar basura y sustancias hacia las zonas de cultivo, contaminando lo suelos, pues no hay árboles que las detengan ni que absorban dichas sustancias, por lo que es posible que los productos que se cosechen estén altamente contaminados.

Otro equipo deberá investigar sobre el aumento y la distribución de la población en su localidad y explicar cómo se relaciona con el problema de contaminación ambiental que eligieron. Recuerden representar en mapas las zonas más pobladas que usan más agua y que tiran más desechos.

Un equipo más investigará en el *Atlas de México* la economía de su localidad: cuáles son las principales actividades económicas que se realizan y a qué sector pertenecen: primario, secundario, terciario, así como la ubicación de algunas actividades, como las industriales, agropecuarias o pesqueras. Con la información obtenida, completen la siguiente tabla.

Sector primario	Sector secundario	Sector terciario

Para analizar esta información contesten, las siguientes preguntas:

- ¿Qué sector predomina en su localidad?
- ¿Qué actividad consideran la más importante?

Investiguen cuáles actividades económicas han provocado y agravado el problema ambiental y localicen el lugar donde se practican esas actividades.

Con base en el trabajo hecho por los estudiantes, un grupo de ciudadanos decidieron formar una asociación que emprendió acciones importantes. Primero se informaron sobre las acciones que han resultado más efectivas para combatir la contaminación de ríos, revisaron libros, revistas e Internet, también acudieron a las oficinas de Semarnat y Conagua del municipio para pedir asesoría y apoyo respecto a las medidas de rescate del río y pusieron manos a la obra. Decidieron trabajar los fines de semana en la limpieza de la ribera del río, organizar un centro de acopio de basura para separar los residuos sólidos que pueden ser reciclados como vidrio, plástico, papel y metal, y construir un compostero para la basura orgánica, así como un vivero donde se utilizará la composta.

Los estudiantes organizaron en la escuela una campaña de sensibilización por medio de periódicos murales y pláticas informativas para que niños y adultos evitaran tirar basura en las márgenes del río.

Socialicen su producto

A partir de los resultados de la investigación sobre el problema ambiental de su localidad, organícense en equipos para elaborar un plan de rescate, si es posible involucren a la escuela, a sus familias y al resto de la comunidad.

Cada equipo presentará los pasos a seguir para la solución del problema.

- Presenten a la comunidad escolar sus posibles soluciones, mediante periódicos murales o folletos, y de ser posible difúndanlo entre la población de su barrio o colonia para que la información pueda ayudar a crear conciencia y a emprender acciones.

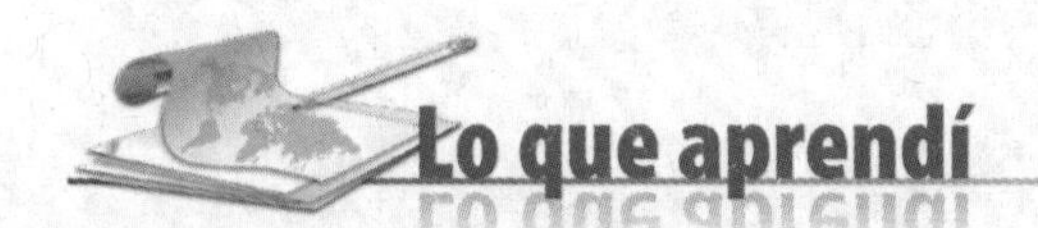

Lo que aprendí

Lee el texto y realiza las actividades.

En una escuela, los alumnos de quinto tienen que elaborar un folleto informativo sobre riesgos. El equipo que investiga sobre los sismos encontró la siguiente información en Internet.

El tsunami de Asia

26 de diciembre de 2004. Priscila García, una joven de Monterrey, pasaba sus vacaciones en la playa de Phuket, en Tailandia, con sus padres. En una clase de Geografía, dos semanas antes, había estudiado los maremotos (tsunamis), esto le ayudó a reconocer las señales: el mar se alejó repentinamente varios metros y recordó entonces lo que aprendió sobre los tsunamis: antes de que un tsunami destruya las playas, el mar se retira y luego una ola gigantesca revienta en la playa y destruye todo a su paso. Priscila se dio cuenta de lo que estaba ocurriendo, alertó a sus padres y después al gerente del hotel, quien ordenó evacuar el lugar. Esto hizo que se salvaran las vidas de cientos de turistas y trabajadores del hotel.

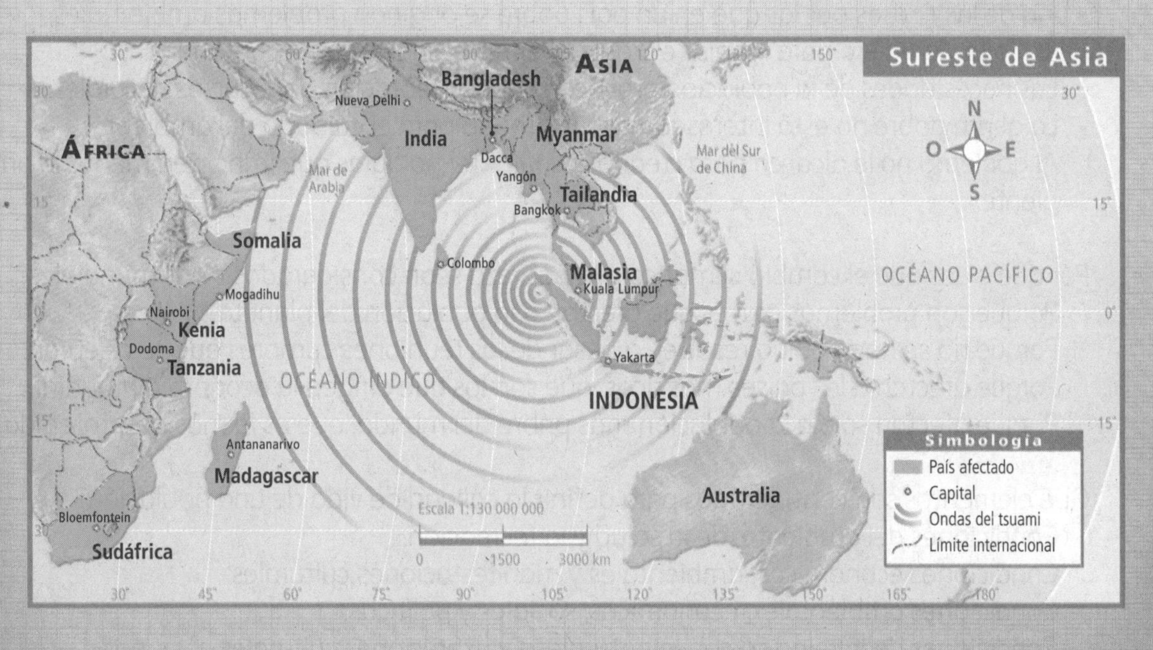

Observa en el mapa los países afectados por el tsunami de 2004, recuerda y anota cómo son las condiciones naturales, socioeconómicas y la calidad de vida de la población de esos países que agravaron las consecuencias de este evento.

Anota cómo piensas que afectó el tsunami o maremoto el nivel de sustentabilidad ambiental de los países afectados.

Elabora un folleto con el título "Cuidemos el mundo" donde desarrolles: las acciones para reducir los efectos de los problemas ambientales, la forma de relación del hombre con la naturaleza, los riesgos que existen en el lugar donde viven y qué medidas se toman para prevenir un desastre.

Mis logros

Lee la nota informativa y responde las preguntas. Selecciona la respuesta correcta encerrando en un círculo la letra correspondiente.

Mérida, Yucatán, 23 de septiembre. Andrea Brusco, oficial de la oficina regional para América Latina y el Caribe del Programa de Naciones Unidas para el Medio Ambiente (PNUMA), comentó: "La vinculación entre ambiente y economía está clara. No es productivo para ningún país del mundo no proteger el ambiente, ya que el crecimiento económico sin protección ambiental se puede dar hoy pero sin ella, en un mediano plazo, la economía desaparece porque le falta la base, que son los recursos naturales".

"No podemos pensar en tener un ambiente protegido cuando hay gente que vive en la pobreza y hay tanta inequidad social; ahí está el gran desafío de América Latina".

Por ello, dijo, "el PNUMA está trabajando en una propuesta de economía verde que apueste al desarrollo de tecnologías limpias y que sea un motor para superar las crisis económicas que vivimos".

◈ Fuente: http://www.proceso.com.mx/noticias_articulo.php?articulo=7257 (consultada el 24 de noviembre de 2009).

1. Es una de las causas por las que en un país pobre se originan problemas ambientales.
   a. La falta de dinero para limpiar el agua, el aire y el suelo que se contaminan.
   b. Las necesidades de la población provocan sobreexplotación de recursos naturales.
   c. La gente pobre no está interesada ni capacitada para el cuidado del ambiente.
   d. Al gobierno no le alcanza para crear o comprar tecnologías que impacten menos el ambiente.

2. ¿Por qué crees que el cambio climático y la pobreza sean considerados retos mundiales?
   a. Porque son problemas graves que afectan a la población del planeta.
   b. Porque no se han podido resolver, a pesar de las reuniones cumbres que se celebran.
   c. Porque afectan a los países más ricos, que son los que dirigen la economía mundial.
   d. Porque afectan sólo a la población más pobre del mundo, que es la más desprotegida.

3. ¿Qué elementos son considerados para definir la calidad de vida de una población?
   a. Condiciones del ambiente, de la salud y la recreación.
   b. Condiciones económicas, ambientales y manifestaciones culturales.
   c. Condiciones ambientales, económicas, sociales y políticas.
   d. Condiciones de la relación con la naturaleza y expresiones culturales.

4. En relación con los desastres ocurridos a escala mundial, ¿cuál de las aseveraciones es correcta?
   a. Los desastres pueden ser de origen natural, como los sismos, o de origen social, como los accidentes aéreos.
   b. Los desastres se clasifican en hidrometeorológicos, geológicos, ambientales y antrópicos o de origen social.
   c. El tipo de desastre más frecuente que provoca más muertes y más número de afectados en todo el mundo son las inundaciones.
   d. Un riesgo no puede presentarse si existe una población vulnerable a un peligro o amenaza definida (como un volcán).

Autoevaluación

Es tiempo de que evalúes lo que has aprendido en este bloque. Lee cada enunciado y marca con una palomita (✓) el nivel que hayas alcanzado.

Aspectos a evaluar	Lo hago bien	Lo hago con dificultad	Necesito ayuda para hacerlo
Investigo y analizo en diferentes fuentes características de distintos países que influyen en la calidad de vida de la población.			
Describo acciones factibles para el cuidado del ambiente, derivadas de acuerdos internacionales.			
Localizo en mapas las principales zonas de riesgo en el mundo.			
Relaciono, a través de cuadros y gráficas, niveles de sustentabilidad y bienestar humano.			
Identifico países con salud ambiental y calidad de vida.			

Escribe una situación en la que apliques lo que aprendiste, hiciste e investigaste en este bloque.

____

____

Aspectos a evaluar	Siempre	Lo hago a veces	Difícilmente lo hago
Reflexiono sobre las consecuencias de la desigualdad socioeconómica y las condiciones ambientales que repercuten en la calidad de vida.			
Reconozco la importancia de la prevención de desastres a partir del estudio de sus efectos.			
Valoro la importancia de participar en proyectos para solucionar problemas ambientales del lugar donde vivo.			

Me propongo mejorar en: ____

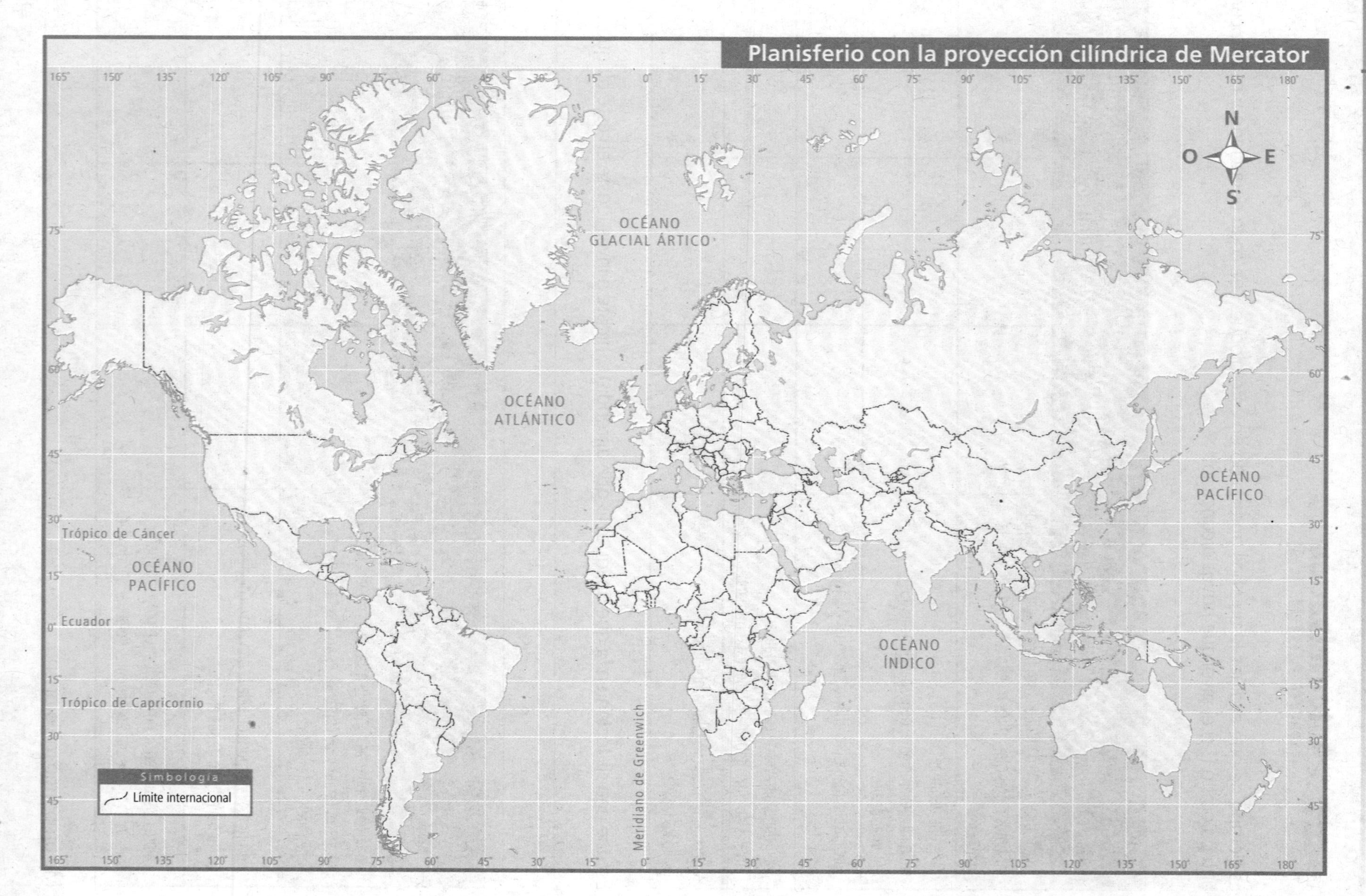
Planisferio con la proyección cilíndrica de Mercator
N
O
E
S
OCÉANO GLACIAL ÁRTICO
OCÉANO ATLÁNTICO
OCÉANO PACÍFICO
OCÉANO PACÍFICO
OCÉANO ÍNDICO
Trópico de Cáncer
Ecuador
Trópico de Capricornio
Meridiano de Greenwich
Simbología
Límite internacional

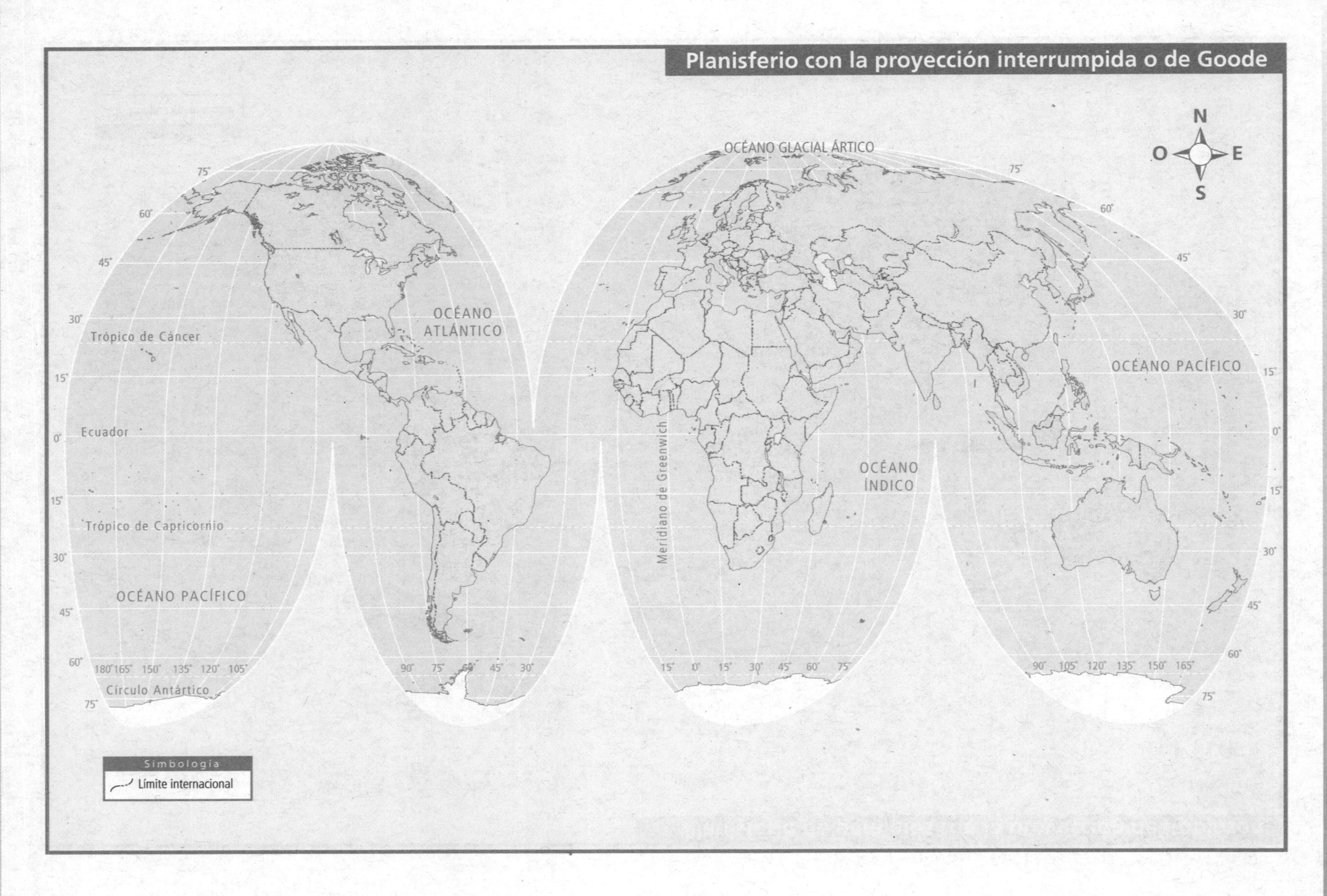

Planisferio con la proyección interrumpida o de Goode
N
O
E
S
OCÉANO GLACIAL ÁRTICO
OCÉANO ATLÁNTICO
OCÉANO PACÍFICO
OCÉANO ÍNDICO
OCÉANO PACÍFICO
Trópico de Cáncer
Ecuador
Trópico de Capricornio
Círculo Antártico
Meridiano de Greenwich
Simbología
Límite internacional

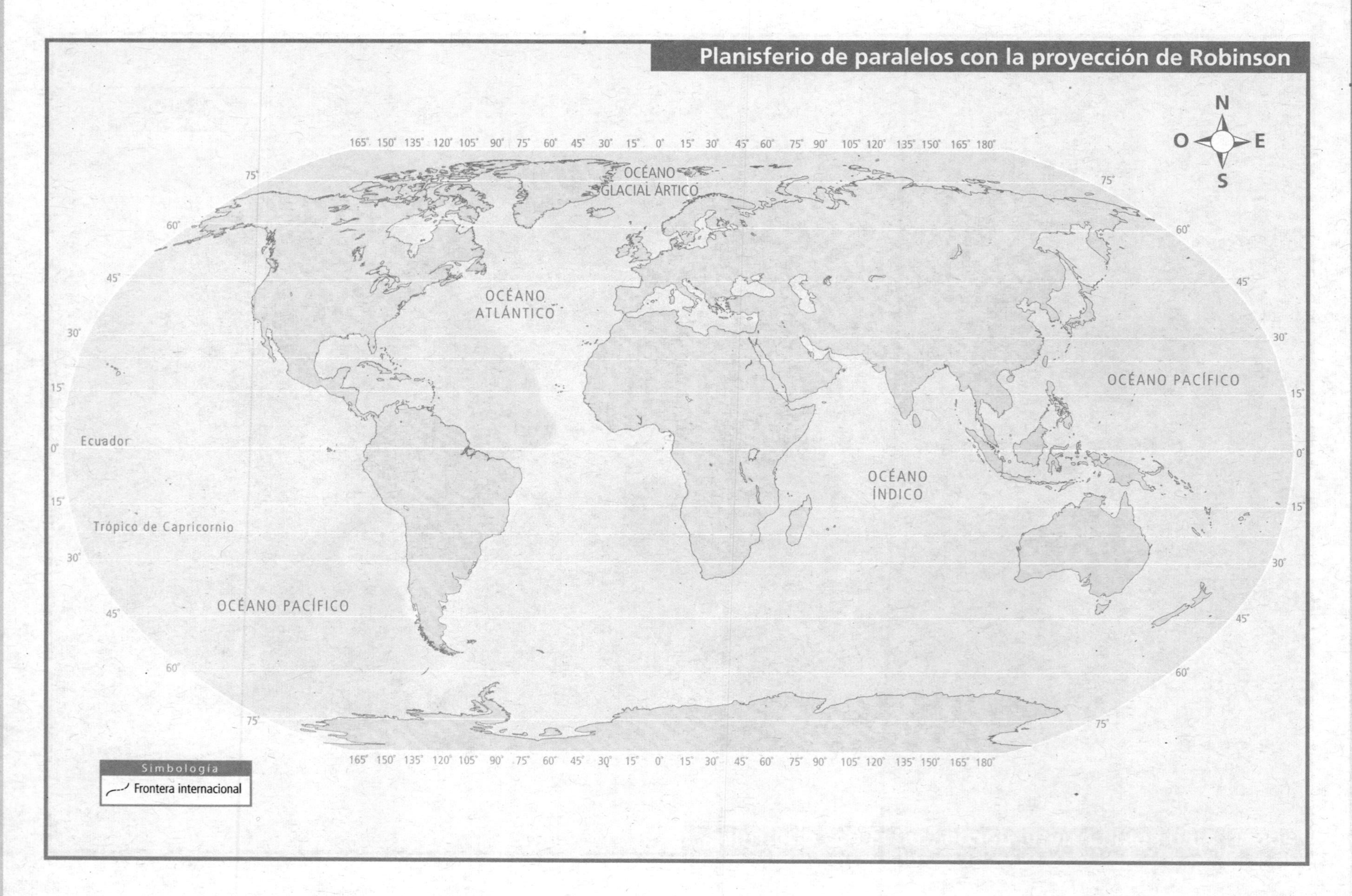
Planisferio de paralelos con la proyección de Robinson
N
O
E
S
165° 150° 135° 120° 105° 90° 75° 60° 45° 30° 15° 0° 15° 30° 45° 60° 75° 90° 105° 120° 135° 150° 165° 180°
OCÉANO GLACIAL ÁRTICO
OCÉANO ATLÁNTICO
OCÉANO PACÍFICO
Ecuador
OCÉANO ÍNDICO
Trópico de Capricornio
OCÉANO PACÍFICO
75° 60° 45° 30° 15° 0° 15° 30° 45° 60° 75°
Simbología
Frontera internacional

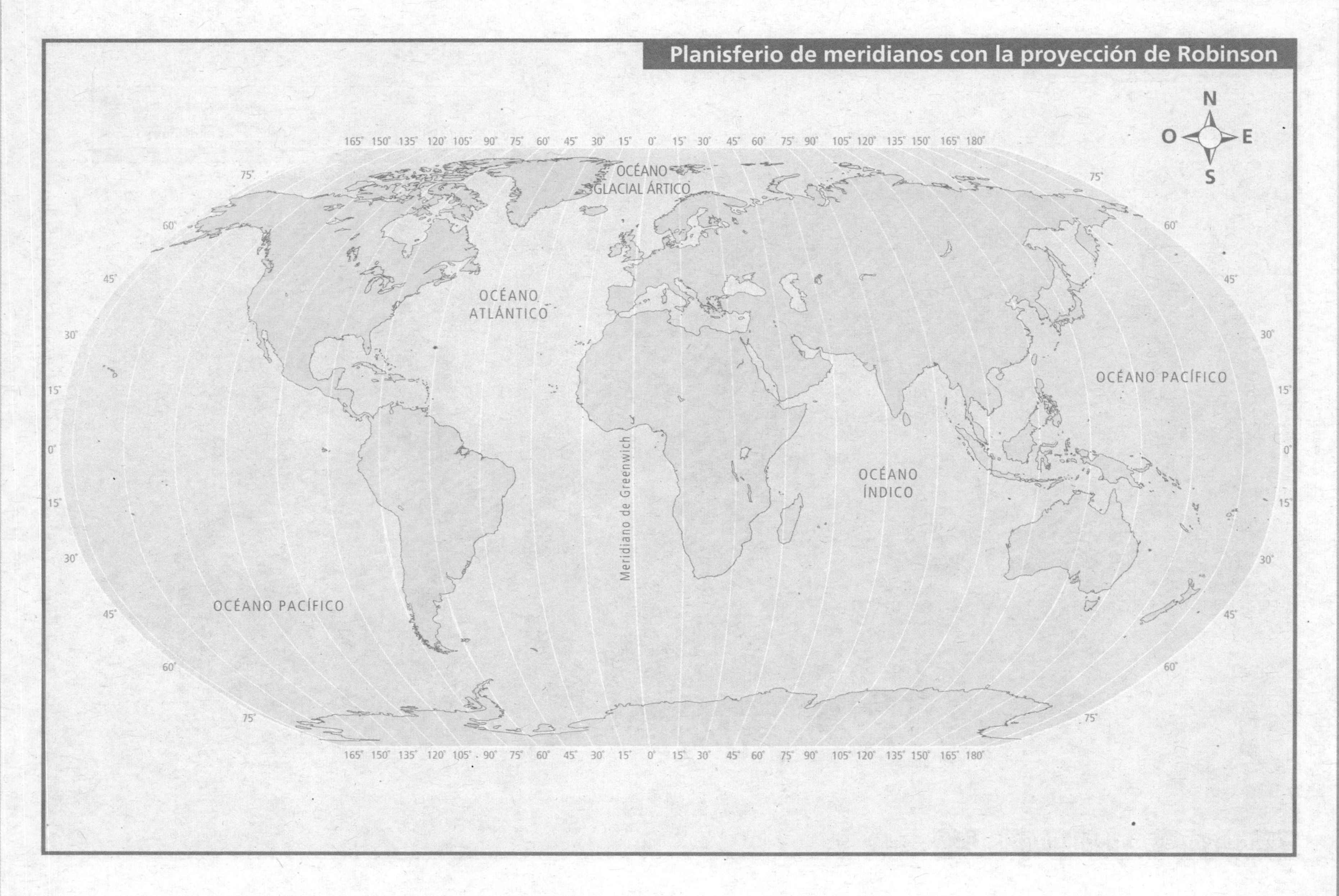
Planisferio de meridianos con la proyección de Robinson
N
O
E
S
165° 150° 135° 120° 105° 90° 75° 60° 45° 30° 15° 0° 15° 30° 45° 60° 75° 90° 105° 120° 135° 150° 165° 180°
75° 60° 45° 30° 15° 0° 15° 30° 45° 60° 75°
OCÉANO GLACIAL ÁRTICO
OCÉANO ATLÁNTICO
OCÉANO PACÍFICO
Meridiano de Greenwich
OCÉANO ÍNDICO
OCÉANO PACÍFICO

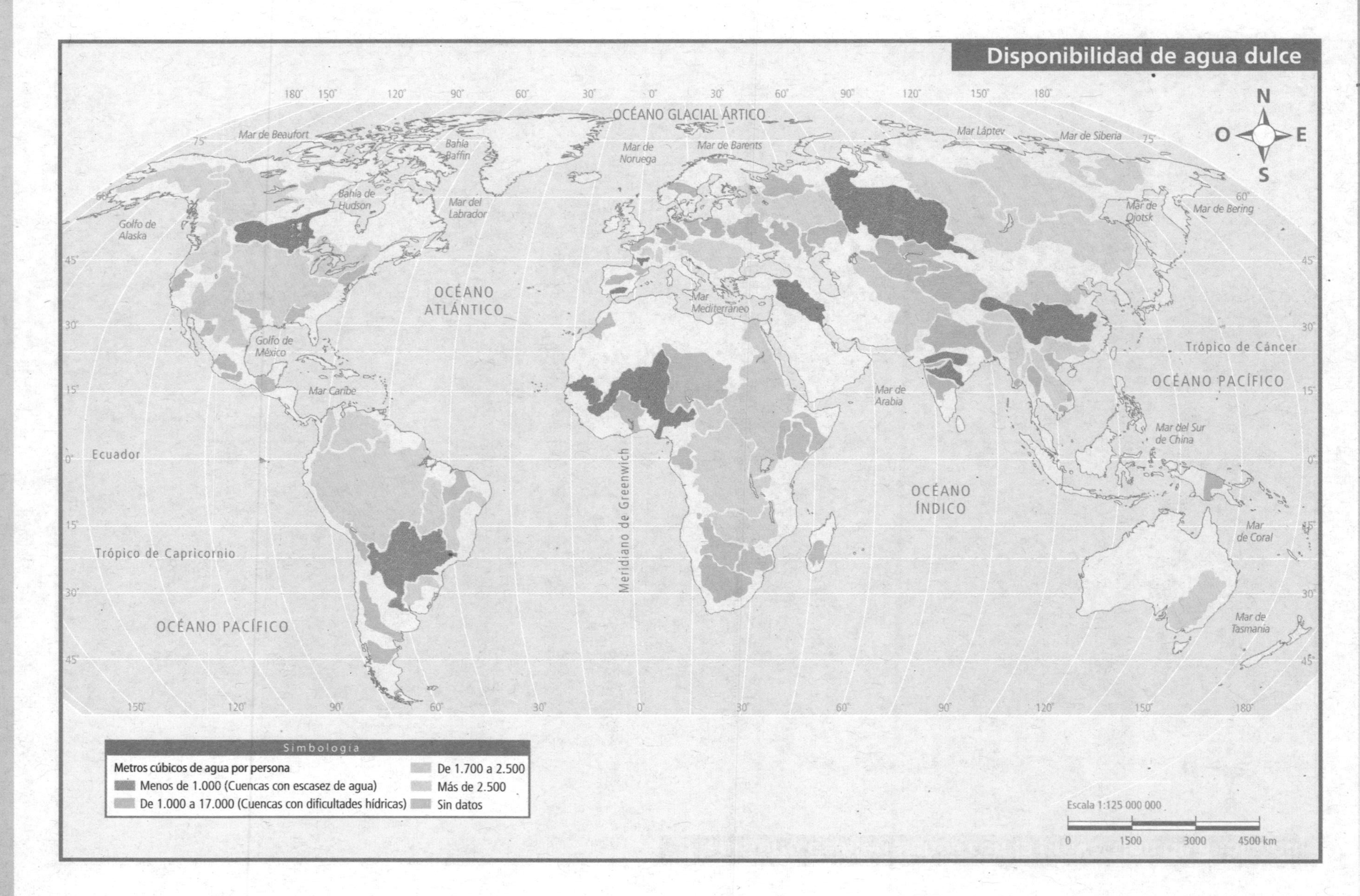
Disponibilidad de agua dulce
N
O
E
S
OCÉANO GLACIAL ÁRTICO
Mar de Beaufort
Bahía Baffin
Mar de Noruega
Mar de Barents
Mar Láptev
Mar de Siberia
Bahía de Hudson
Mar del Labrador
Golfo de Alaska
Mar de Ojotsk
Mar de Bering
OCÉANO ATLÁNTICO
Mar Mediterráneo
Golfo de México
Mar Caribe
Trópico de Cáncer
OCÉANO PACÍFICO
Mar de Arabia
Mar del Sur de China
Ecuador
Meridiano de Greenwich
OCÉANO ÍNDICO
Mar de Coral
Trópico de Capricornio
OCÉANO PACÍFICO
Mar de Tasmania
Simbología
Metros cúbicos de agua por persona
Menos de 1.000 (Cuencas con escasez de agua)
De 1.000 a 17.000 (Cuencas con dificultades hídricas)
De 1.700 a 2.500
Más de 2.500
Sin datos
Escala 1:125 000 000
0
1500
3000
4500 km

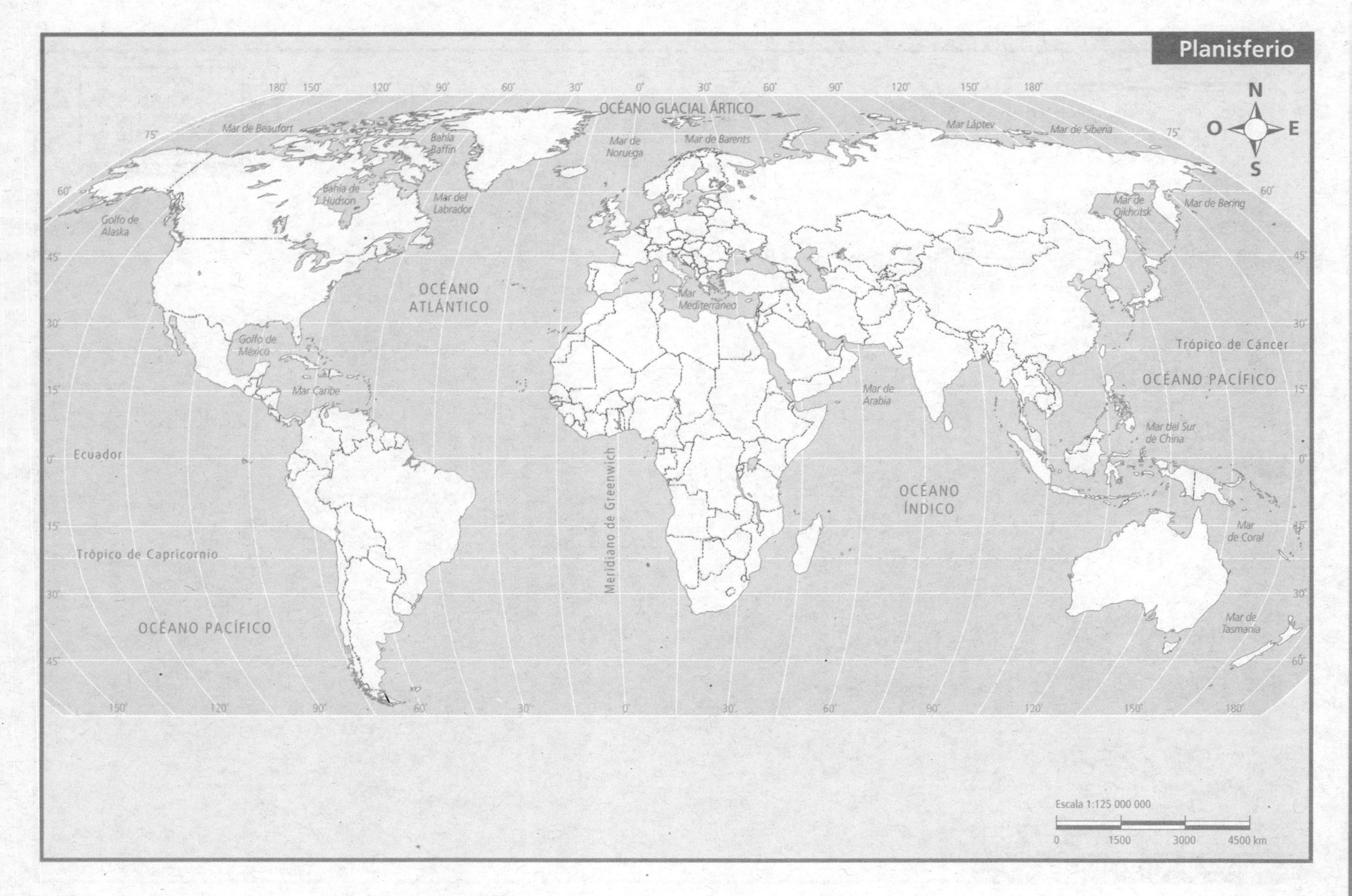
Planisferio
N
O
E
S
OCÉANO GLACIAL ÁRTICO
Mar de Beaufort
Bahía Baffin
Mar de Noruega
Mar de Barents
Mar Láptev
Mar de Siberia
Golfo de Alaska
Bahía de Hudson
Mar del Labrador
Mar de Ojotsk
Mar de Bering
OCÉANO ATLÁNTICO
Mar Mediterráneo
Golfo de México
Mar Caribe
Trópico de Cáncer
OCÉANO PACÍFICO
Mar de Arabia
Mar del Sur de China
Ecuador
OCÉANO ÍNDICO
Meridiano de Greenwich
Mar de Coral
Trópico de Capricornio
OCÉANO PACÍFICO
Mar de Tasmania
Escala 1:125 000 000
0
1500
3000
4500 km

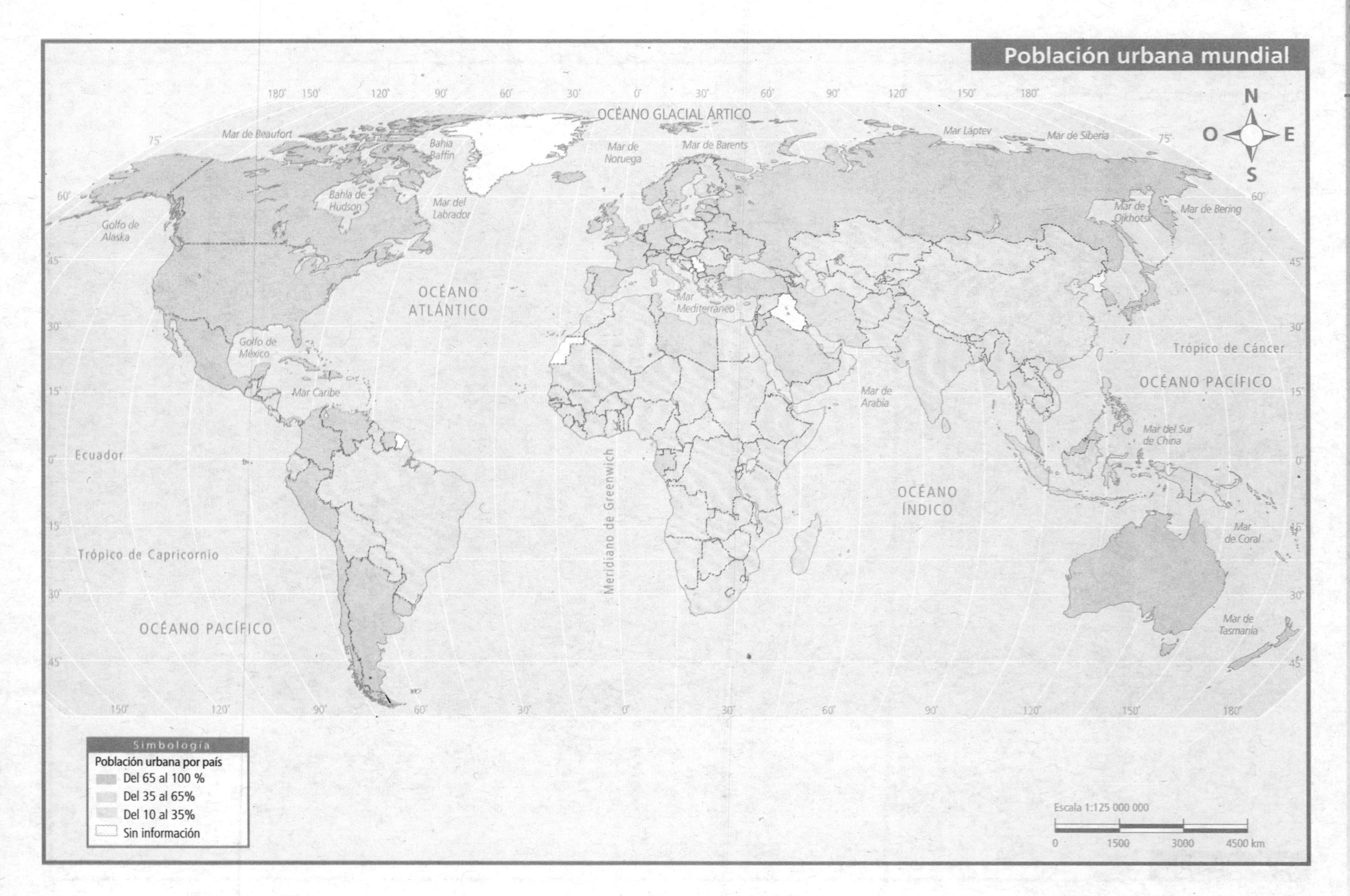
Población urbana mundial
N
O
E
S
OCÉANO GLACIAL ÁRTICO
Mar de Beaufort
Bahía Baffin
Bahía de Hudson
Mar del Labrador
Golfo de Alaska
Mar de Noruega
Mar de Barents
Mar Láptev
Mar de Siberia
Mar de Ojotsk
Mar de Bering
OCÉANO ATLÁNTICO
Mar Mediterráneo
Golfo de México
Mar Caribe
Trópico de Cáncer
OCÉANO PACÍFICO
Mar de Arabia
Mar del Sur de China
Ecuador
Meridiano de Greenwich
OCÉANO ÍNDICO
Mar de Coral
Trópico de Capricornio
OCÉANO PACÍFICO
Mar de Tasmania
Simbología
Población urbana por país
Del 65 al 100 %
Del 35 al 65%
Del 10 al 35%
Sin información
Escala 1:125 000 000
0 1500 3000 4500 km

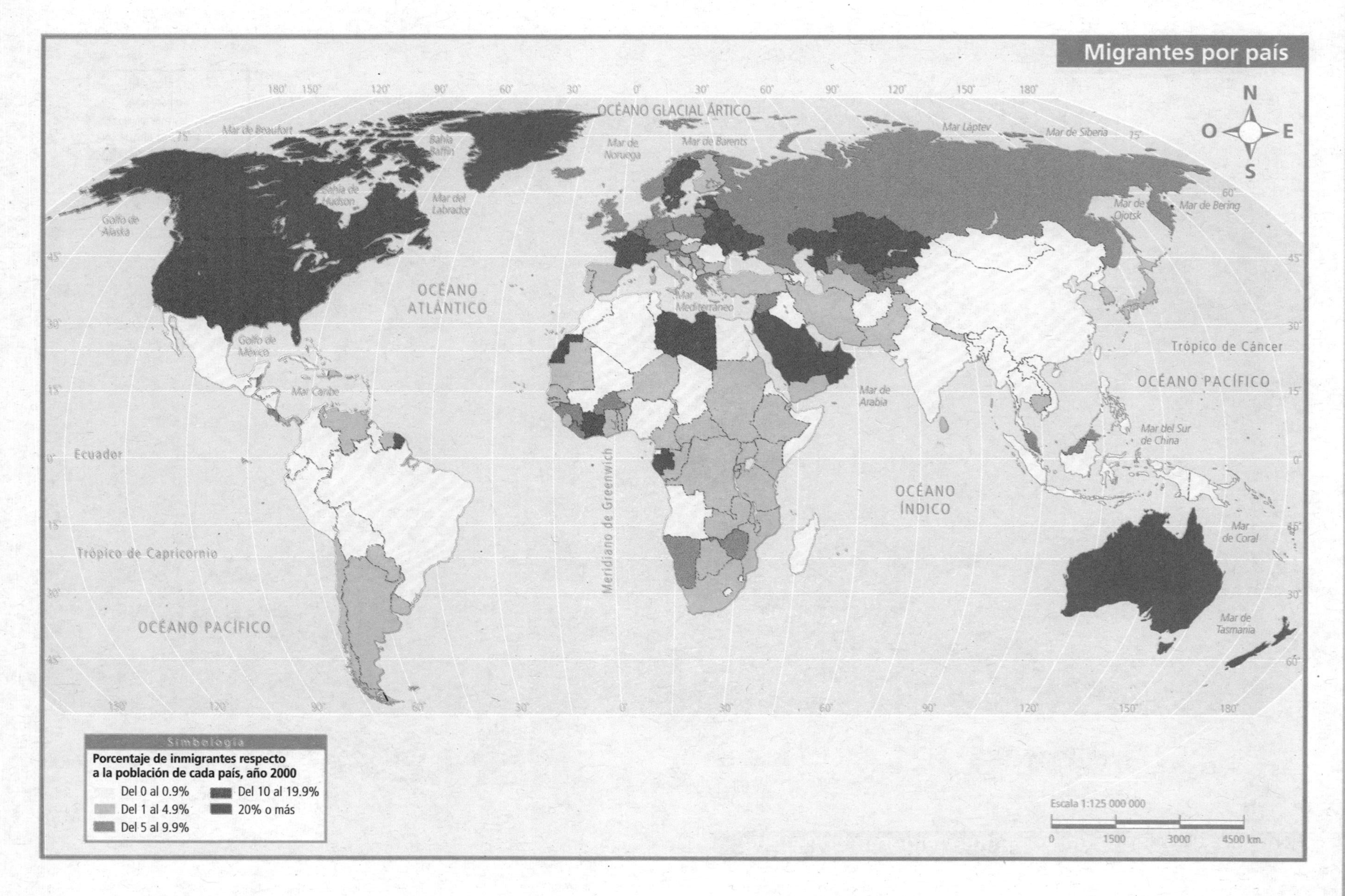
Migrantes por país
N
O
E
S
OCÉANO GLACIAL ÁRTICO
Mar de Beaufort
Bahía Baffin
Bahía de Hudson
Mar del Labrador
Golfo de Alaska
Mar de Noruega
Mar de Barents
Mar Láptev
Mar de Siberia
Mar de Ojotsk
Mar de Bering
OCÉANO ATLÁNTICO
Golfo de México
Mar Caribe
Mar Mediterráneo
Trópico de Cáncer
OCÉANO PACÍFICO
Mar de Arabia
Mar del Sur de China
Ecuador
Meridiano de Greenwich
OCÉANO ÍNDICO
Mar de Coral
Trópico de Capricornio
OCÉANO PACÍFICO
Mar de Tasmania
Simbología
Porcentaje de inmigrantes respecto a la población de cada país, año 2000
Del 0 al 0.9%
Del 1 al 4.9%
Del 5 al 9.9%
Del 10 al 19.9%
20% o más
Escala 1:125 000 000
0
1500
3000
4500 km.

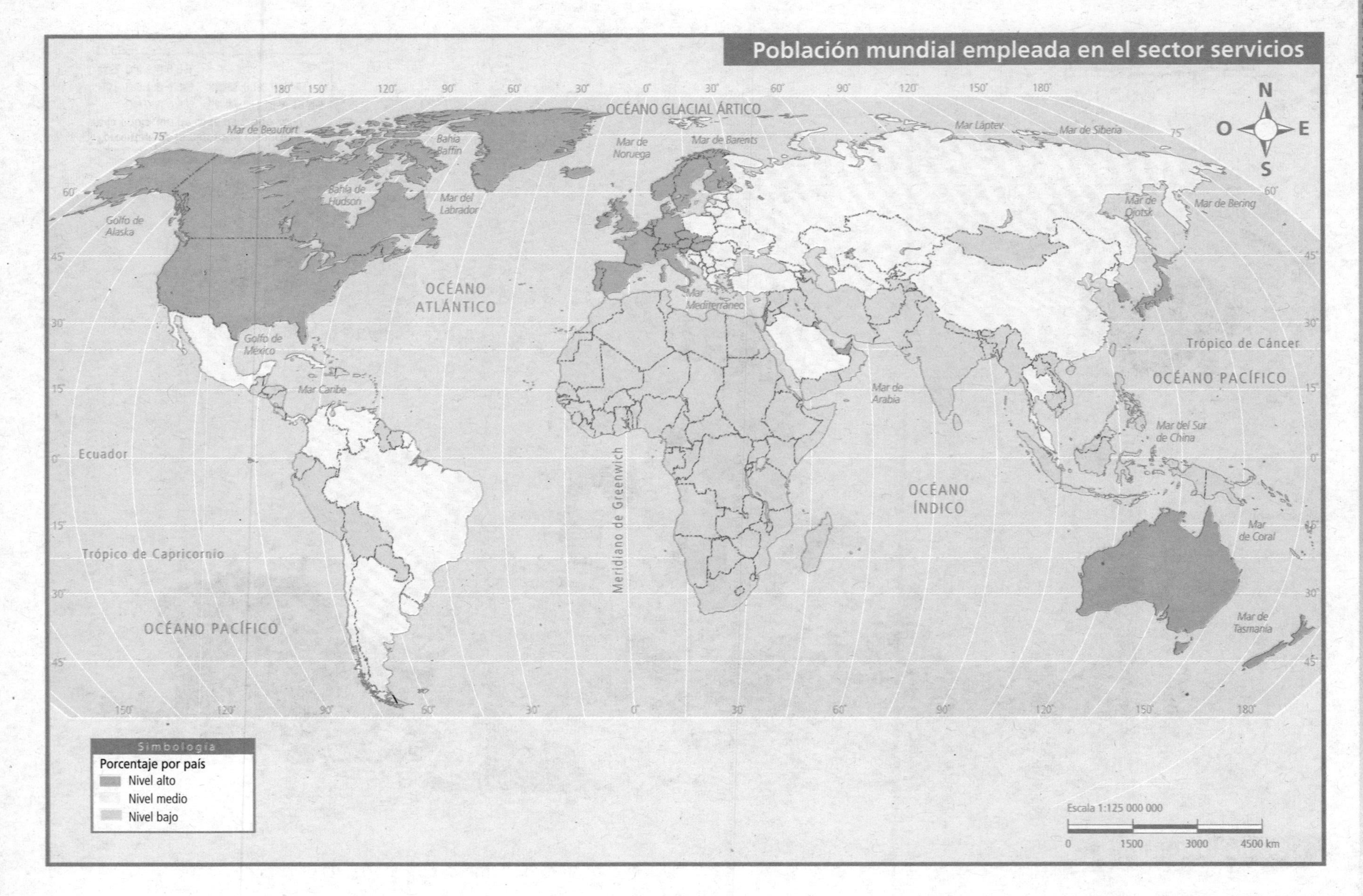
Población mundial empleada en el sector servicios
N
O
E
S
OCÉANO GLACIAL ÁRTICO
Mar de Beaufort
Bahía Baffin
Bahía de Hudson
Mar del Labrador
Golfo de Alaska
Mar de Noruega
Mar de Barents
Mar Láptev
Mar de Siberia
Mar de Ojotsk
Mar de Bering
OCÉANO ATLÁNTICO
Mar Mediterráneo
Golfo de México
Mar Caribe
Trópico de Cáncer
OCÉANO PACÍFICO
Mar de Arabia
Mar del Sur de China
Ecuador
Meridiano de Greenwich
OCÉANO ÍNDICO
Mar de Coral
Trópico de Capricornio
OCÉANO PACÍFICO
Mar de Tasmania
Simbología
Porcentaje por país
Nivel alto
Nivel medio
Nivel bajo
Escala 1:125 000 000
0
1500
3000
4500 km

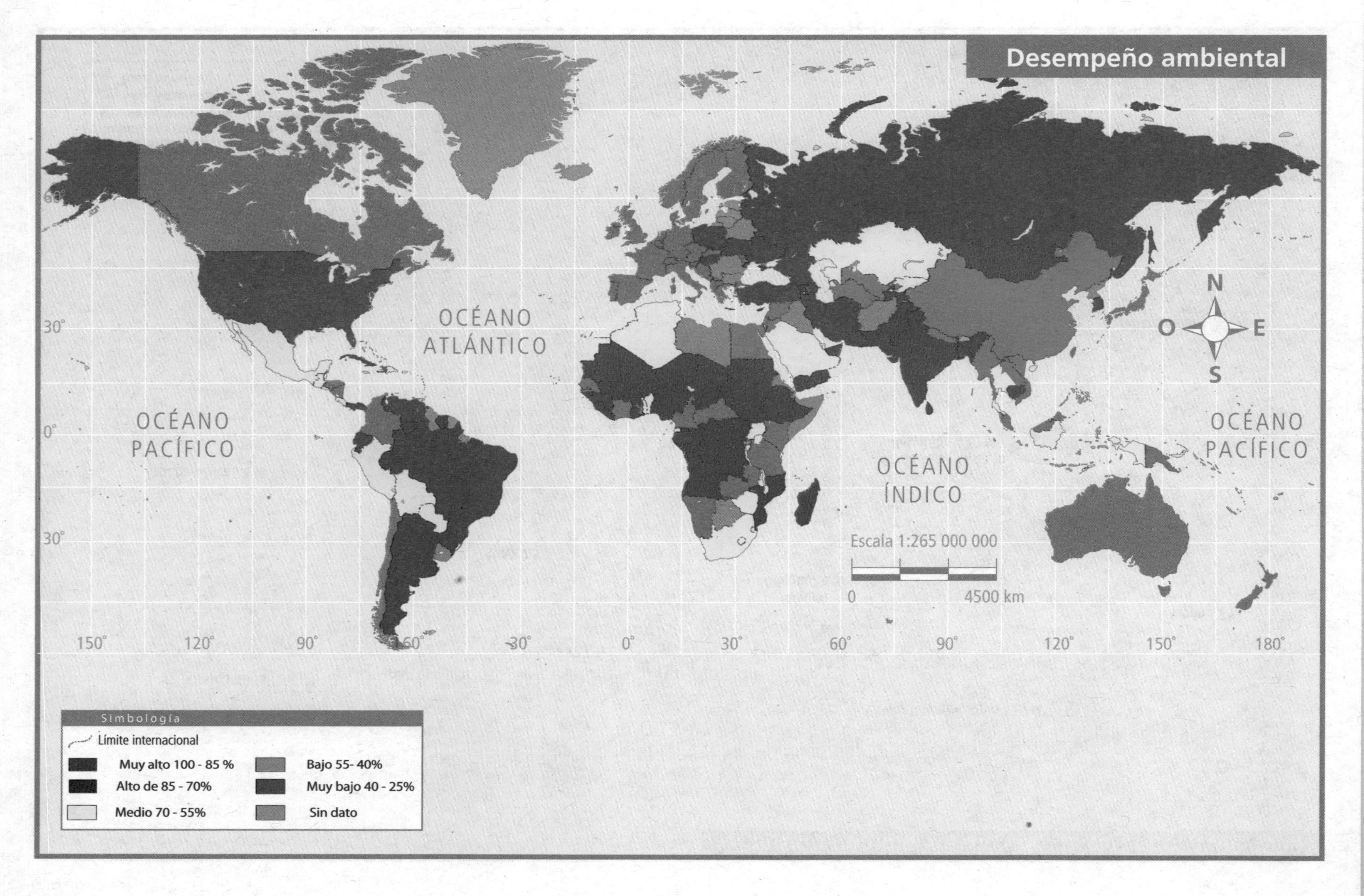
Desempeño ambiental
OCÉANO ATLÁNTICO
OCÉANO PACÍFICO
OCÉANO ÍNDICO
OCÉANO PACÍFICO
N
O
E
S
Escala 1:265 000 000
0
4500 km
60°
30°
0°
30°
150°
120°
90°
60°
30°
0°
30°
60°
90°
120°
150°
180°
Simbología
Límite internacional
Muy alto 100 - 85 %
Alto de 85 - 70%
Medio 70 - 55%
Bajo 55- 40%
Muy bajo 40 - 25%
Sin dato

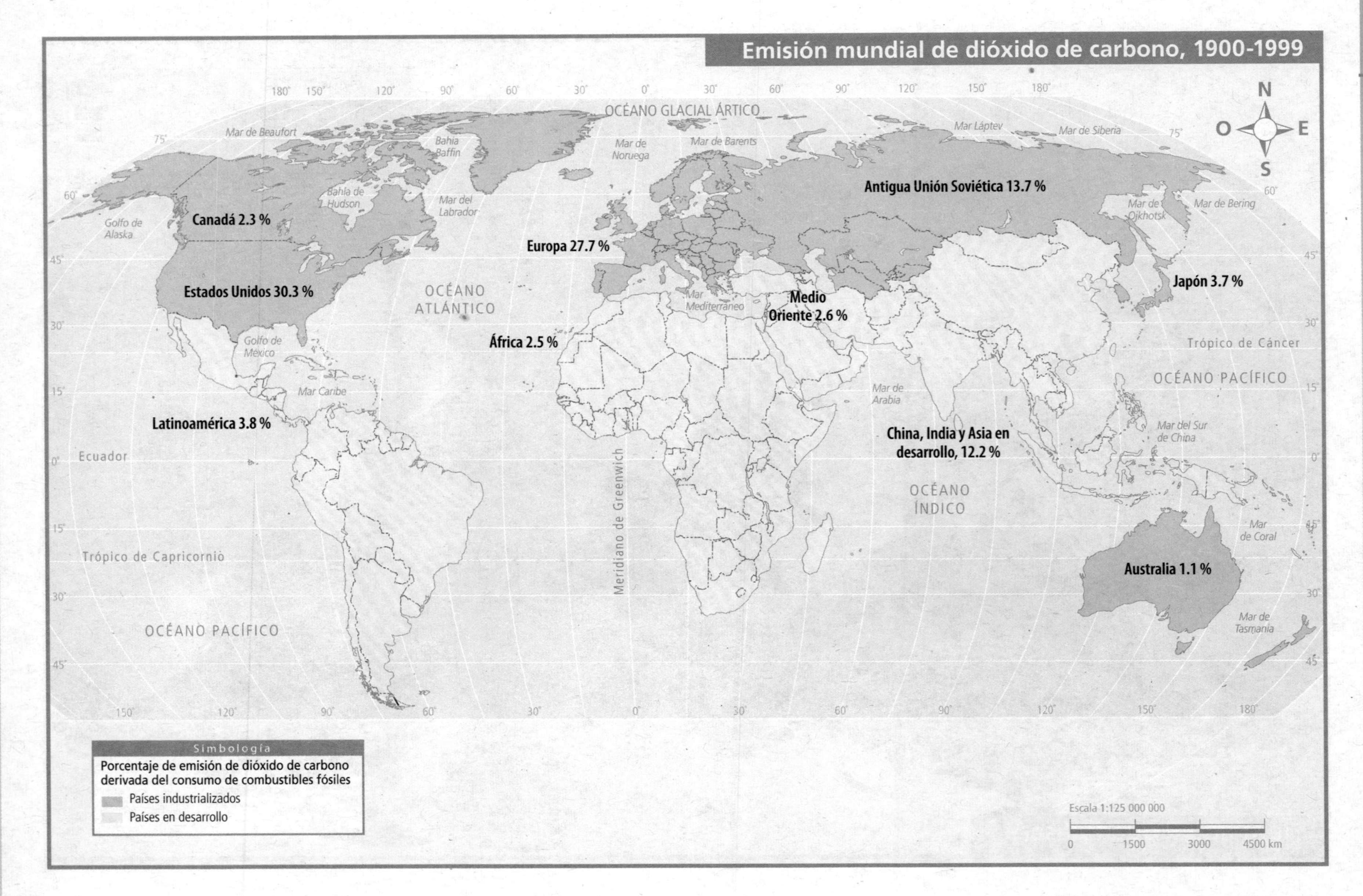
Emisión mundial de dióxido de carbono, 1900-1999
N
O
E
S
OCÉANO GLACIAL ÁRTICO
Mar de Beaufort
Bahía Baffin
Bahía de Hudson
Mar del Labrador
Mar de Noruega
Mar de Barents
Mar Láptev
Mar de Siberia
Mar de Ojkhotsk
Mar de Bering
Golfo de Alaska
Canadá 2.3 %
Estados Unidos 30.3 %
Europa 27.7 %
Antigua Unión Soviética 13.7 %
Japón 3.7 %
OCÉANO ATLÁNTICO
Mar Mediterráneo
Medio Oriente 2.6 %
África 2.5 %
Golfo de México
Mar Caribe
Latinoamérica 3.8 %
Trópico de Cáncer
OCÉANO PACÍFICO
Mar de Arabia
China, India y Asia en desarrollo, 12.2 %
Mar del Sur de China
Ecuador
OCÉANO ÍNDICO
Meridiano de Greenwich
Mar de Coral
Trópico de Capricornio
Australia 1.1 %
Mar de Tasmania
OCÉANO PACÍFICO
Simbología
Porcentaje de emisión de dióxido de carbono derivada del consumo de combustibles fósiles
Países industrializados
Países en desarrollo
Escala 1:125 000 000
0 1500 3000 4500 km

Desastres originadas por fenómenos naturales por regiones mundiales
N
O
E
S
OCÉANO GLACIAL ÁRTICO
Mar de Barents
Mar Laptev
Mar de Siberia
Mar de Beaufort
Mar de Noruega
Bahía de Hudson
Bahía Baffin
Golfo de Alaska
Mar de Ojostk
Mar de Bering
OCÉANO ATLÁNTICO
Mar del Labrador
Mar Mediterráneo
Golfo de México
Mar Caribe
Trópico de Cáncer
Ecuador
Trópico de Capricornio
Meridiano de Greenwich
OCÉANO PACÍFICO
Mar de Arabia
Mar del Sur de China
OCÉANO ÍNDICO
OCÉANO PACÍFICO
Simbología
Sequías y hambrunas
Terremotos
Inundaciones
Avalanchas y deslaves
Volcanes
Tornados
Otros
Escala 1:110 000 000
0
1500
3000
4500 km

Bibliografía

Atlas universal y de México, México, Ediciones Castillo, 2006.

Chémery, Laure, *Los climas. Cambios en la atmósfera*, España, Larousse-Spes Editorial, 2003 (El Mundo Contemporáneo).

Cheminée, Jean-Louis, *Los volcanes*, España, RBA Ediciones, 1994 (Conocer la Ciencia).

Conapo, *La población de México en el nuevo siglo*, México, 2001.

Debroise, Anne y Erick Seinandré, *Fenómenos naturales. Las fuerzas de la Tierra*, España, Larousse-Spes Editorial, 2003 (El Mundo Contemporáneo).

Eden, Philip y Clint Twist, *Tiempo y clima*, México, Dorling Kindersley-CNCA, 1997.

Explora la Tierra, Madrid, Ediciones SM, 1996 (Biblioteca Interactiva Mundo Maravilloso).

Gran atlas universal. 1. El mundo, Madrid, Editorial Sol 90, 2004.

Haslam, Andrew, *¡Haz que funcione! Los mapas*, México, Reader´s Digest, 1997 (El Enfoque Práctico de la Geografía).

_______, *¡Haz que funcione Los ríos!*, México, Reader´s Digest, 1997 (El Enfoque Práctico de la Geografía).

Haslam, Andrew y Bárbara Taylor, *¡Haz que funcione! El tiempo*, México, Reader´s Digest, 1997 (El Enfoque Práctico de la Geografía).

Hayden, Thomas, *El pulso de la Tierra. Reporte visual de un planeta amenazado*, México, National Geographic en Español-Editorial Televisa, 2008.

Herrera, Miguel Ángel y Julieta Fierro, *La Tierra*, México, SEP, 1990 (Libros del Rincón).

Lugo Hubp, José, *La superficie de la Tierra I. Un vistazo a un mundo cambiante*, México, Fondo de Cultura Económica, 1998 (La Ciencia para Todos).

_______, José, *La superficie de la Tierra I. Un vistazo a un mundo cambiante*, México, Fondo de Cultura Económica, 1999 (La Ciencia para Todos).

Raisz, Erwin, *Cartografía*, Barcelona, Ediciones Omega, 1985.

Rollet, Catherine, *La población en el mundo: 6000 millones. ¿Y mañana?*, España, Larousse, 2004 (El Mundo Contemporáneo).

Semarnat, *Atlas geográfico del medio ambiente y recursos naturales*, México, 2006.

_______, *¿Y el medio ambiente? Problemas en México y el mundo*, México, 2007.

Strahler, Arthur y Alan H. Strahler, *Geografía física*, Barcelona, Ediciones Omega, 1989.

Páginas electrónicas

Aula intercultural (Diversidad cultural): http://www.aulaintercultural.org/mot.php3?id_mot=182
Biblioteca digital internacional para niños (Búsqueda por lugar): http://www.childrenslibrary.org/icdl/SearchWorld?ilang=Spanish
Comisión Nacional del Agua: http://www.conagua.gob.mx
Comisión Nacional para el Conocimiento y Uso de la Biodiversidad: http://www.conabio.gob.mx
Consejo Nacional de Población: http://www.conapo.gob.mx/
Global Risk Identification Programm [Programa de Identificación de Riesgos Globales]: http://www.gripweb.org/grip.php?ido=1000&lang=eng
Inegi: http://www.inegi.org.mx
Inegi (Cuéntame): http://cuentame.inegi.org.mx
Secretaría de Medio Ambiente y Recursos Naturales (Educación ambiental): http://www.semarnat.gob.mx/educacionambiental/Paginas/inicio.aspx
The Environmental Performance Measurement Project [Proyecto Medición del Desempeño Ambiental]: http://www.yale.edu/esi/

Referencias electrónicas

Alex Kirby, "Escasez de agua: ¿se avecina una crisis?", en http://news.bbc.co.uk/hi/spanish/science/newsid_4052000/4052657.stm
Carlos Fernández-Vega, "Asimetrías", en http://www.jornada.unam.mx/2007/12/29/index.php?section=opinion&article=020o1eco
Center for Research on the Epidemiology of Disaster [Centro para la Investigación de la Epidemiología del Desastre], "Disaster Data: A Balanced Perspective", en http://cred.be/sites/default/files/CredCrunch_18.pdf
"China e India; socios de peso", en http://www.exportapymes.com/modules.php?name=News&file=print&sid=3699
"Oceana advierte futuros problemas por escasez de agua potable en América Latina", en http://www.ecoportal.net/Contenido/Contenidos/Eco-Noticias/Oceana_advierte_futuros_problemas_por_escasez_de_agua_potable_en_America_Latina.
Organización Mundial del Comercio, "Examen de las políticas comerciales. Informe de la secretaría. Australia (Apéndice-cuadros)", en http://www.wto.org/spanish/tratop_s/tpr_s/s178-05_s.doc
Organización de las Naciones Unidas, "Urbanización", en http://www.unep.org/geo/geo3/spanish/403.htm
Philippe Rekacewicz, "Utilisations de l'eau", en http://www.monde-diplomatique.fr/cartes/eauutilisations
Programa de las Naciones Unidas para el Medio Ambiente, "Recent Disasters", en http://www.unepie.org/scp/sp/disaster/recent.htm

Créditos iconográficos

pp. 8-9: mapa de la superficie terrestre, NASA, GSFC; **p. 10:** monumento que marca el ecuador © Latinstock; (ab.) estampilla de Ecuador © Other Images; **p. 14:** (izq.) lobos en un bosque © Latinstock; (centro) Parque Nacional en Isla del Sur, Nueva Zelanda © Latinstock; (der.) persona con reno, Finlandia © Latinstock; **p. 16:** (arr.) isla de Moskenes, Oslo, Noruega © Latinstock; (ab.) estampilla de Noruega © Other Images; **p. 17:** (izq.) Parque Central de Nueva York © Other Images; (centro) Parque Central de Nueva York © Photo Stock; (der.) puesta de Sol, NASA; **p. 20:** Pampa de Oro, Chile © Latinstock; **p. 21:** (arr.) Nueva Gales del Sur, Sydney, Australia; (centro) invierno en Dinamarca © Photo Stock; (ab.) invierno en Venezuela © Photo Stock; **p. 22:** (arr.) Bangkok, Tailandia © Photo Stock; (ab.) estampilla de Tailandia © Other Images; **p. 23:** globo terráqueo, fotografía de Christian Fisher, licencia Creative Commons Genérica de Atribución/Compartir-Igual 2.5; p. 27: (arr.) Gerard Mercator (1595), Biblioteca del Congreso de Estados Unidos; (ab.) ciudad de Nueva Orleans y el río Mississippi, Biblioteca del Congreso de Estados Unidos; **p. 28:** (arr.) París, Francia © Photo Stock; (ab.) estampilla de Francia © Photo Stock; **p. 32:** mapa del mundo, Orbis Terrarum, 340 x 494 mm, Abraham Ortelius (1527-1598); **p. 33:** (arr.) retrato de Julio Verne (1828-1905), *ca.* 1880 © Photo Stock; **p. 36:** (izq.) la Tierra, NASA, GSFC; (der.); **pp. 38-39:** imagen de satélite de la confluencia de los ríos Negro y Amazonas en Brasil © Photo Stock; **p. 40:** (arr.) monte Vesubio, Nápoles, Italia © Photo Stock; (ab.) estampilla de Italia © Other Images; **p. 41:** (izq.) montaña de los Andes, Santiago de Chile © Photo Stock; (centro) río Mississippi, Estados Unidos © Photo Stock; (der.) hombres frente a la montaña Cho Oyo Rance, Nepal © Photo Stock; **p. 43:** (arr.) ilustraciones de terremoto de una sección a través de la falla de San Andrés en California, Estados Unidos © Photo Stock; (ab. izq.) límite de las placas tectónicas © Photo Stock; p. 45: erupción del Monte Santa Elena en 1980, USGS/Cascadas Volcano Observatory; **p. 46:** (arr.) acantilados en Inglaterra © Photo Stock; (centro) cañón en Utah, Estados Unidos © Photo Stock; (ab.) petroglifo a lo largo del Río Colorado, Utah, Estados Unidos © Photo Stock; **p. 47:** experimento de volcán, Archivo Iconográfico DGME-SEP; **p. 48:** (arr.) camellos en el mar Aral © Photo Stock; (ab.) estampilla de Kazajstán © Other Images; **p. 49:** (izq.) la Tierra vista desde el Apolo 17, NASA; (der.) vista aérea del río Mississippi © Photo Stock; **p. 50:** (ab.) presa Malpaso, Chiapas, fotografía de Raúl Barajas; **p. 52:** (izq.) Lago de las Nubes en Michigan, Estados Unidos © Other Images; (der.) vista aérea del río Mississippi, Estados Unidos; **p. 54:** (arr.) parque Stanley, Vancouver, Columbia Británica, Canadá; (ab.) estampilla de Canadá; **p. 55:** Comisión Nacional del Agua, Servicio Meteorológico Nacional; **p. 56:** (centro izq.) Parque Nacional Cahuitas, Costa Rica © Glow Images/News com; (centro der.) bosque de Indiana, Estados Unidos © Other Images; (ab.) Parque Nacional en Janos, Chihuahua © Glow Images/News com; **p. 57:** (arr.) planilla Conservemos las especies de México ©Correos de México; (ab. izq.) alce, Alaska © Photo Stock; (ab. der.) grupo de osos polares, Canadá © Photo Stock; **p. 59:** (arr.) Londres, Inglaterra © Photo Stock; (ab. izq.) jirafas y elefantes cerca del monte Kilimanjaro © Latinstock; (ab. der.) valle de Cuatro Ciénegas, Coahuila, fotografía del Dr. Luis Enrique Eguiarte Fruns, investigador titular del Instituto de Ecología, UNAM; **p. 62:** (arr.) Parque Nacional Corcovado, Costa Rica © Photo Stock; (ab.) estampilla de Costa Rica © Other Images; **p. 63:** (arr. izq.) borrego cimarrón, desierto de Sonora, Arizona, Estados Unidos © Photo Stock; (ab. izq.) coatís, Brasil © Photo Stock; (ab. der.) ciervos en los bosques de pino, Escocia © Photo Stock; **p. 64:** leña apilada © Photo Stock; **p. 65:** (arr.) flores *Simmondsia chinesus* © Photo Stock; (ab.) cebada Hordeum vulgare © Photo Stock; **p. 66:** (arr.) vista aérea de un bosque de coníferas, Cantabria, España © Photo Stock; (ab.) río Marced, valle de Yosemite, California, Estados Unidos © Photo Stock; **p. 67:** (izq.) reserva ecológica, Nueva Zelanda © Photo Stock; (arr. der.) primavera en montaña, Inglaterra © Photo Stock; (ab. der.) ciervos © Photo Stock; **p. 69:** (arr. der.) Monte Kilimanjaro, glaciar del sur, Tanzania © Photo Stock; (ab. izq.) Monte Kilimanjaro, Tanzania © Photo Stock; (ab. der.) acenso a la cumbre del Kilimanjaro © Photo Stock; **pp. 72-73:** ciudad de Tokio, Japón © Photo Stock; **p. 74:** (arr.) calle transitada Tokio, Japón © Photo Stock; (ab.) estampilla de Japón © Other Images; **p. 75:** (arr. izq.) peregrinos, desierto de Arabia Saudita © Photo Stock; (arr. centro) Calcuta, India © Photo Stock; (arr. der.) puerto en Perth, Western, Australia © Photo Stock; (ab. izq.) ciudad de Sien Reap, Camboya, Indochina © Photo Stock; (ab. centro) grupo de niños tarahumaras © Latinstock; (ab. der.) casas, Djenné, África; **p. 77:** (arr.) gente en el metro de Hong Kong, China © Other Images; (ab.) línea del tren aéreo, Vancouver, Canadá © Photo Stock; **p. 80:** (arr.) centro del cerro de Santa Lucía, Santiago de Chile © Photo Stock; (ab.) calles de la ciudad São Paulo, Brasil © Photo Stock; **p. 82:** (arr.) vista de São Paulo, Brasil © Photo Stock; (ab.) estampilla de Brasil © Photo Stock; **p. 84:** vista de Bagdad, Irak © Photo Stock; **p. 87:** (arr.) cosecha de maíz © Latinstock; (ab.) agricultores cultivando en los campos de Francia © Photo Stock; **p. 88:** (arr.) río Chicago, Chicago, Illinois, Estados Unidos © Photo Stock; (ab.) estampilla de Estados Unidos © Other Images; **p. 90:** (arr. izq.) inmigración de familia mexicana en Estados Unidos © Latinstock; (arr. der.) refugiados cruzan la frontera en Somalia © Photo Stock; (ab. izq.) interior de camión de transporte de personas, fotografía de Raúl Barajas; (ab. der.) inmigrantes centroamericanos en tren © Glow Images/News com; **p. 91:** manifestación en San Diego, California © Latinstock; **p. 92:** Chinatown, Manhattan, Nueva York © Photo Stock; **p. 94:** (arr.) artesanías en Argentina © Glow Images/News com; (centro) estampilla de Argentina © Photo Stock; (ab.) artesanía de Argentina © Other Images; **p. 96:** (arr. izq.) mujeres con kimonos tradicionales en Japón © Photo Stock; (arr. der.) tribu mursi, Parque Nacional de Lago, Etiopía © Photo Stock; (centro izq.) mujeres durante un servicio religioso, Mindre, Papua, Nueva Guinea © Photo Stock; (centro der.) baile durante la fiesta del pilar en España © Photo Stock; (ab. izq.) familia en las ruinas de Pisac, Cusco, Perú © Photo Stock; (ab. der.) pescador, Yangshuo, China © Latinstock; **p. 97:** (arr.) productor de café, Etiopía © Latinstock; (ab.) ofrenda de día de muertos mixe, fotografía de Raúl Barajas; **p. 98:** (arr.) bailarines nativos © Photo Stock; (centro) pobladores de Yakel, isla Tanna, República de Vanuatu © Photo Stock; (ab.) mercado, Zumbahua, Ecuador © Photo Stock; **p. 99:** (arr.) festival del templo Tirupati, India © Latinstock; (centro) chicanos © Latinstock; (ab.) altar de santería © Photo Stock; **p. 101:** (arr.) platillo de cocina coreana © Latinstock; (centro) músicos callejeros, Hout Bay, Ciudad del Cabo, Sudáfrica © Photo Stock; (ab.) escuela de danza, Phnom Penh, Camboya © Photo Stock; **p. 103:** (arr.) Ghana, África © Photo Stock; (ab.) familia en Japón © Latinstock; **pp. 106-107:** estudiantes en clase © Latinstock; **p. 108:** (arr.) cultivos en el desierto © Latinstock; (ab.) estampilla de Chile; **p. 109:** (izq.) balde de pescado para venta en el Líbano © Photo Stock; (centro) cosecha de algodón © Photo Stock; (der.) montículos de grava, Oxfordshire, Inglaterra © Photo Stock; **p. 110:** (arr.) recolección de café © Latinstock; (centro izq.) cabra © Photo Stock; (centro der.) plantación de arroz, norte de Vietnam © Photo Stock; (ab.) molinos de viento, barrio Zaanse Schans de Zaandam, Holanda; © Latinstock; **p. 111:** (de izq. a der.) arcoíris en el campo © Latinstock; sistema de irrigación, Canadá © Photo Stock; huertos © Latinstock; peinado de grano, Isla del príncipe Eduardo, Canadá © Latinstock; **p. 112:** (izq.) vacas © Latinstock; (centro) pastoreo en prado alpino © Photo Stock; (der.) ordeña de vacas a mano © Photo Stock; **p. 114:** (arr.) bosque tropical, fotografía de Kary Cerda; (ab.) plantaciones forestales de coníferas © Photo Stock; **p. 115:** (arr. izq.) oro nativo de una roca, California, Estados Unidos © Photo Stock; (arr. der.) plata © Latinstock; (ab.) cobre © Latinstock; **p. 118:** (arr.) ensamblado en línea de la fábrica de Porsche, Alemania © Latinstock; (ab.) estampilla de Alemania; **p. 119:** (arr. izq.) leñador cortando árbol © Photo Stock; (arr. der.) carpintero © Latinstock; (ab. izq.) pilas de madera en aserradero © Latinstock; (ab. der.) banca © Latinstock; **p. 120:** (arr.) fábrica de calzado © Photo Stock; (ab.) transportador de acero, fábrica en Brasil © Latinstock; **p. 121:** (izq.) central eléctrica, Reino Unido © Other Images; (der.) excavadora en construcción © Other Images; **p. 122:** (izq.) máquina soldadora, planta de Chrysler-Mitsubishi © Latinstock; (der.) microscopio de fuerza atómica © Photo Stock; **p. 123:** (izq.) biorreactor © Latinstock; (der.) Taipei, Taiwan © Photo Stock; **p. 124:** (de izquierda a derecha y de arriba hacia abajo) llanta, Archivo Iconográfico DGME-SEP; máquina para hacer tortillas, fotografía de Irene León; báscula, Archivo Iconográfico DGME-SEP; suéter © Latinstock; mueble Wohnung, 1800 © Latinstock; tetrabrik de leche, fotografía de Irene León; libros, Archivo Iconográfico DGME-SEP; **p. 126:** (arr.) mercado flotante, Damnoen Saduak, Bangkok, Tailandia © Latinstock; (ab.) estampilla de Tailandia © Other Images; **p. 127:** (arr.) autobús turístico en el Arco del Triunfo, París © Latinstock; (ab. izq.) pasajeros en el metro © Latinstock; (ab. der.) remolcador y buque, Canal de Panamá © Latinstock; **p. 128:** (arr.) mercado, Guadalajara © Latinstock; (ab.) Cala Comte, Ibiza, España © Latinstock; **p. 129:** (arr.) interior de un avión © Photo Stock; (centro) Queen Mary 2, Hamburgo, Alemania © Photo Stock; (ab. izq.) tren de carga, San Gotardo, Suiza © Photo Stock; (ab. der.) tráiler, fotografía de Kary Cerda; **p. 130:** Mercado de Chichicastenango, Guatemala © Latinstock; **p. 131:** (arr.) familia de Tokio, Japón © Photo Stock; (ab.) robot industrial durante su proceso de construcción © Photo Stock; **p. 133:** (arr.) ruinas de Erecteión, Acrópolis, Atenas, Grecia © Photo Stock; (ab. izq.) vista aérea de las cataratas del Niágara © Photo Stock; (ab. der.) rapel desde un acantilado, Nevada, Estados Unidos © Photo Stock; **p. 136:** (arr.) Sydney Opera House © Latinstock; (ab.) estampilla de Australia; **p. 137:** (arr.) zona habitacional, fotografía de Kary Cerda; (ab. izq.) clínica, Kibagare, Kenia © Photo Stock; (ab. der.) autobús, El Cairo, Egipto © Photo Stock; **p. 138:** (arr.) escuela en el Kurdistán, Irak © Photo Stock; (ab. izq.) medición de la presión arterial © Photo Stock; (ab. der.) jóvenes estudiando © Latinstock; **p. 140:** (arr.) casa en el barrio de Hutong, China © Photo Stock; (ab.) zona marginal, Bombay, India © Photo Stock; **p. 142:** construcción de coches de juguete de Lego, Billund, Dinamarca © Photo Stock; **p. 144:** río Danubio, Ucrania © Latinstock; **pp. 146-147:** equipos de rescate recuperan nutrias del Mar Muerto © Latinstock; **p. 148:** (arr.) playa Manuel Antonio, Costa Rica © Photo Stock;(ab.) estampilla de Costa Rica © Other Images; **p. 149:** (arr. izq.) campesinos, Pondicherry, India © Photo Stock; (arr. der.) agricultores, Nigeria; (ab. izq.) tienda en el pueblo medieval de Locronan, Finisterre, Francia © Photo Stock; (ab. der.) familia en un campo de tulipanes, Holanda © Other Images; **p. 150:** (ab.) Lago Maggiore, Suiza; **p. 151:** (arr.) trabajadores, Qatar © Latinstock; (centro) Waqif Souq, Doha, Qatar © Photo Stock; (ab.) Zoco, Doha, Qatar © Photo Stock; **p. 152:** (arr. izq.) parque de Sandy Point, Idaho, Estados Unidos © Other Images; (arr. der.) clínica, México © Latinstock; (centro) familia, Zacatecas © Photo Stock; (centro izq.) niños liberando tortugas, Ecuador © Glow Images/News; (centro der.) niños en el patio de colegio © Latinstock; (ab. izq.) mantenimiento a la red eléctrica © Glow Images/News com; (ab. centro) votaciones, México, Distrito Federal © Glow Images/News; (ab. der.) edificio en construcción, Egipto © Photo Stock; **p. 153:** (arr.) Día Mundial del Agua, función de CAE Town, Sudáfrica © Latinstock; **p. 156:** (arr.) Haina, República Dominicana © Latinstock; (ab.) estampilla de República Dominicana © Photo Stock; **p. 157:** (izq.) Ille Sur Tet, Francia © Photo Stock; (der.) Cap de Creus, Parque Natural, Provincia de Girona, Cataluña, España © Photo Stock; **p. 158:** (arr.) tala de árboles, Ecuador ©Glow Images/News; (centro) río Kabul, Afganistán; (ab.) São Paulo, Brasil; **p. 159:** (arr.) persona entre basura, Brasil; **p. 160:** la Tierra, NASA, GSFC; **p. 162:** (arr. izq.) edificio de control aéreo, Navys Antarctic Development Squadrom 6 (VXE-6); (arr. der.) pingüinos © Latinstock; (centro) Puerto Vallarta, México © Photo Stock; vista del glaciar Aletsch, Suiza © Photo Stock; **p. 163;** (izq.) niño, fotografía de Kary Cerda; (der.) reforestación, fotografía de Kary Cerda; **p. 164:** (arr.) terremoto en Santiago de Chile © Other Images; (ab.) estampilla de Chile © Other Images; **p. 165:** terremoto en Chile © Glow Images/News com; **p. 167:** (arr. izq.) equipos de rescate en busca de algún superviviente © Latinstock; (arr. der.) zona inundada, norte de Bolivia © Latinstock; (centro) barco en el patio de un hotel después de tsunami en Sri Lanka © Photo Stock; (ab.) huracán Dean © Latinstock; **p. 168:** (arr. izq.) funeral de accidente de avión, Brasil; (arr. der.) bruma de la madrugada en el río Taedong y la Torre de la idea Juche, Pyongyang, Corea del Norte © Photo Stock; (ab.) descarga de alimentos y suministros, Addis Abeba © Latinstock; **p. 169:** efectos del tsunami, Muratuwa, Sri Lanka © Latinstock; **p. 170:** (arr.) tornado, Kansas, Estados Unidos © Photo Stock; **p. 174:** (arr.) contaminación, Indonesia © Latinstock; (ab.) estampilla de Indonesia; **175:** recolección de basura para el reciclaje de plástico, río Citarum, Indonesia © Latinstock; (ab. izq.) Río Manso, Provincia de Río Negro, Patagonia Andina, Argentina; fotografía de Fernando Cristóbal Pintado, gobierno de España, Instituto de Tecnologías Educativas, banco de imágenes y sonidos; (ab. der.) basura, río Lee, Londres, Inglaterra © Photo Stock; **p. 197:** (de arriba hacia abajo) molinos de viento, Kiev, Ucrania © Photo Stock; río Amazonas, Manaos, Brasil © Photo Stock; esquimales en Kotzebue, Alaska © Latinstock; isla de Madagascar, África © Photo Stock; mar de Sant Pol, Barcelona, España © Photo Stock; río Nilo, Egipto © Glow Images; lago de Simon, Ontario, Canadá © Photo Stock.

Esquemas: pp. 11, 12, 13, 18, *Atlas de Geografía Universal*, SEP; pp. 10, 17, 14, 19, 44, Archivo Iconográfico DGME-SEP.

Mapas: Magdalena Juárez.
Iconos de sección: Libro de Wizards Batak Indonesia, Museo Nacional de Etnología, Leiden, Holanda; lupa, Archivo Iconográfico DGME-SEP; semáforo, Archivo Iconográfico DGME-SEP; mundo y manos, Archivo Iconográfico DGME-SEP; cerebro humano, Archivo Iconográfico DGME-SEP.

Paisaje	Localización	Grupo climático	Clima
Pastizales en Kiev, al norte del Mar Negro 	Estados Unidos	Templado	Templado con lluvias en invierno
Manaos, a orillas del Amazonas 	Ucrania	Polar	Seco desértico
Kotzebue, en el norte de Alaska 	Egipto	Tropical	Tropical con lluvias todo el año
Isla de Madagascar, al este de África 	República Malgache	Frío	Polar de tundra
Barcelona, en la costa del mar Mediterráneo 	Brasil	Seco	Seco estepario
Azuán, en las márgenes del río Nilo 	Canadá	Tropical	Frío con lluvias todo el año
Ontario, al norte de los Grandes Lagos 	España	Seco	Tropical con lluvias en verano

¿Qué opinas del libro de *Geografía quinto grado*?

Tu opinión acerca de este libro es importante para que podamos mejorarlo.
Marca con una ✓ tu respuesta y si tienes alguna duda, dirígete a tu maestro.

	Me gustaron mucho	Me gustaron poco	No me gustaron
Las imágenes de las lecciones.			
Las actividades que se presentan.			
	Siempre	**A veces**	**Nunca**
El lenguaje utilizado es claro.			
Las instrucciones para realizar las actividades son claras.			
Las imágenes me ayudaron a comprender el tema tratado.			
El atlas me ayudó a realizar las actividades de exploración.			
Las cápsulas me proporcionaron información interesante y útil sobre el contenido y las actividades.			
Las actividades de evaluación de cada bloque me permitieron reflexionar sobre lo que he aprendido.			

Las actividades me permitieron	Sí	Poco	Nada
Interpretar información en distintos mapas.			
Comprender y utilizar la información contenida en el curso.			
Respetar la diversidad natural y cultural de mi entorno (mi país, el mundo).			
Hacer las cosas por mí mismo.			
Trabajar en equipo y en grupo.			

¿Qué sugerencias te gustaría hacer para mejorar tu libro? ______________________

____

____

____

____

¡Gracias por tu colaboración!

SEP

DIRECCIÓN GENERAL DE MATERIALES EDUCATIVOS
Dirección de Desarrollo e Innovación de Materiales Educativos
Viaducto Río de la Piedad 507, cuarto piso,
Granjas México, Iztacalco,
08400, México, D. F.

Datos generales

Entidad: ______________________________

Escuela: ______________________________

Turno: Matutino ☐ Vespertino ☐ Escuela de tiempo completo ☐

Nombre del alumno: ______________________________

Domicilio del alumno: ______________________________

Grado: ______________